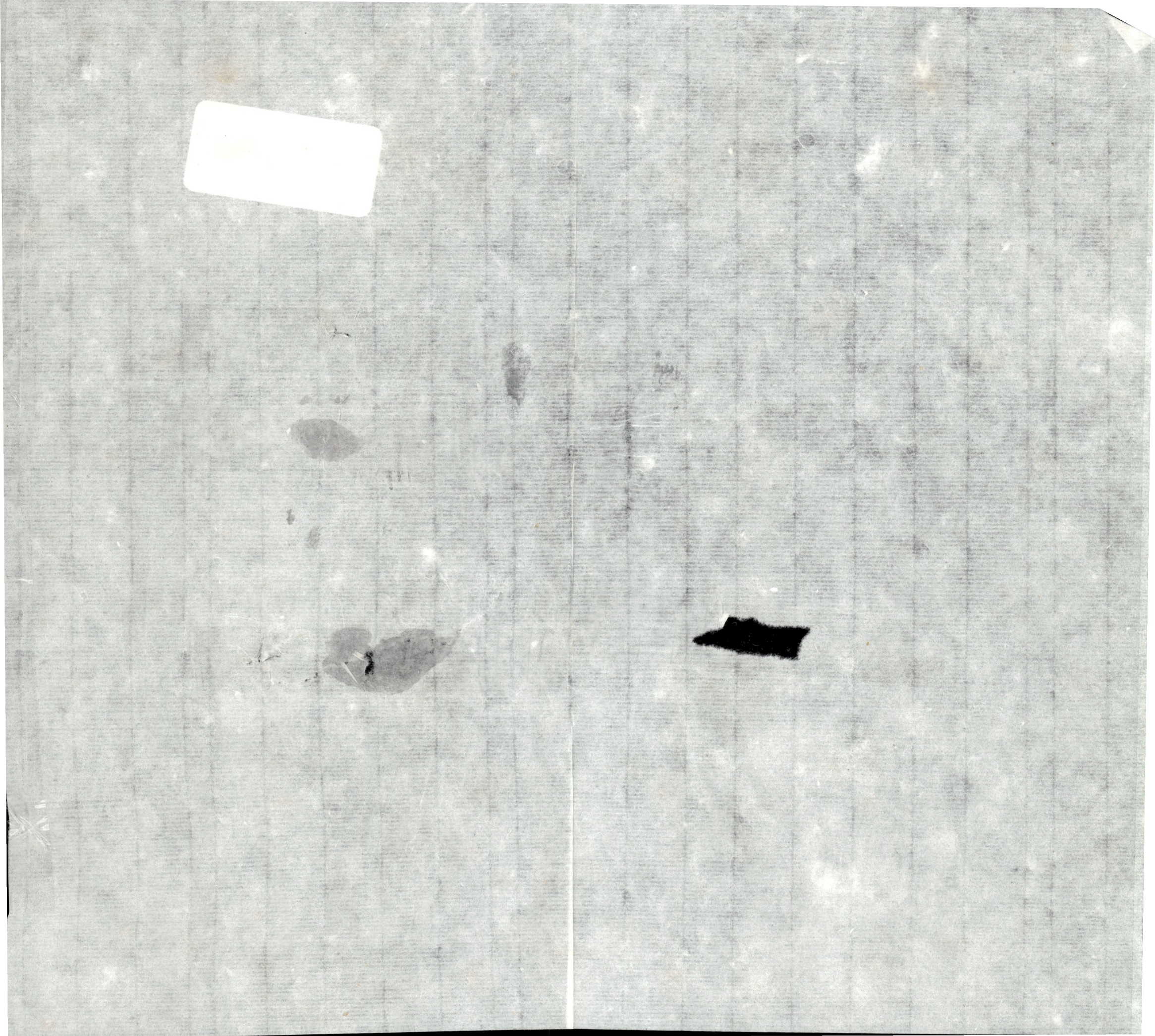

吴書

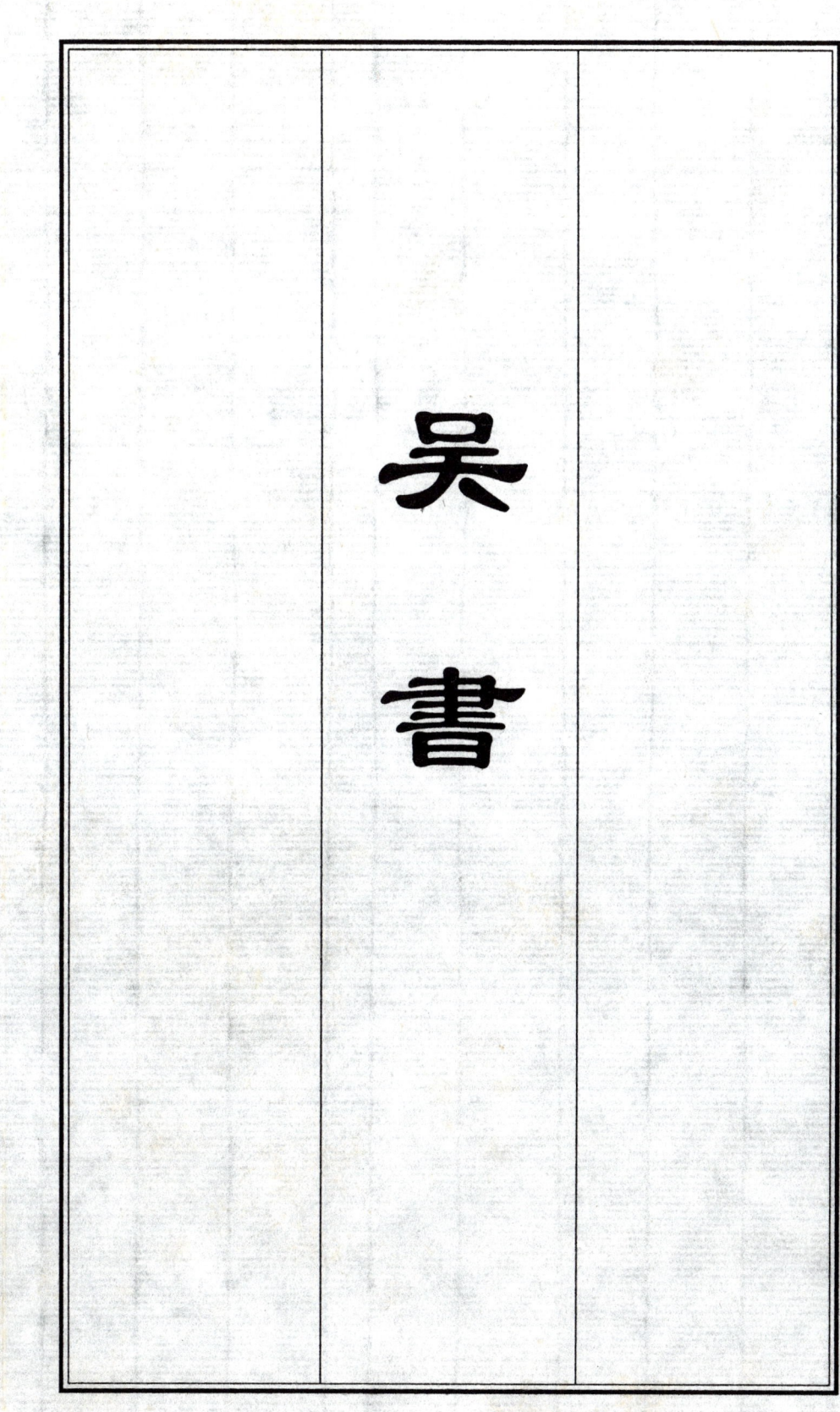

三國志卷四十六

吳書一

孫破虜討逆傳第一

孫堅字文臺，吳郡富春人，蓋孫武之後也。少爲縣吏。年十七，與父共載船至錢唐，會海賊胡玉等從匏里上掠取賈人財物，方於岸上分之，行旅皆住，船不敢進。堅謂父曰：「此賊可擊，請討之。」父曰：「非爾所圖也。」堅行操刀上岸，以手東西指麾，若分部人兵以羅遮賊狀。賊望見，以爲官兵捕之，即委財物散走。堅追，斬得一級以還；父大驚。由是顯聞，府召署假尉。會稽妖賊許昌起於句章，自稱陽明皇帝，與其子韶扇動諸縣，衆以萬數。堅以郡司馬募召精勇，得千餘人，與州郡合討破之。是歲，熹平元年也。刺史臧旻列上功狀，詔書除堅鹽瀆丞，數歲徙盱眙丞，又徙下邳丞。

中平元年，黄巾賊帥張角起于魏郡，托有神靈，遣八使以善道教化天下，而潛相連結，自稱黄天泰平。三月甲子，三十六方一旦俱發，天下響應，燔燒郡縣，殺害長吏。漢遣車騎將軍皇甫嵩、中郎將朱儁將兵討擊之。儁表請堅爲佐軍司馬，鄉里少年隨在下邳者皆願從。堅又募諸商旅及淮、泗精兵，合千許人，與儁并力奮擊，所向無前。汝、潁賊困迫，走保宛城。堅身當一面，登城先入，衆乃蟻附，遂大破之。儁具以狀聞上，拜堅别部司馬。

邊章、韓遂作亂涼州。中郎將董卓拒討無功。中平三年，遣司空張温行車騎將軍，西討章等。温表請堅與參軍事，屯長安。温以詔書召卓，卓良久乃詣温。温責讓卓，卓應對不順。堅時在坐，前耳

語謂温曰：「卓不怖罪而鴟張大語，宜以召不時至，陳軍法斬之。」温曰：「卓素著威名於隴蜀之間，今日殺之，西行無依。」堅曰：「明公親率王兵，威震天下，何賴於卓？觀卓所言，不假明公，輕上無禮，一罪也。章、遂跋扈經年，當以時進討，而卓云未可，沮軍疑衆，二罪也。卓受任無功，應召稽留，而軒昂自高，三罪也。古之名將，仗鉞臨衆，未有不斷斬以示威者也，是以穰苴斬莊賈，魏絳戮楊干。今明公垂意於卓，不即加誅，虧損威刑，於是在矣。」温不忍發舉，乃曰：「君且還，卓將疑人。」堅因起出。章、遂聞大兵向至，黨衆離散，皆乞降。軍還，議者以軍未臨敵，不斷功賞，然聞堅數卓三罪，勸温斬之，無不歎息。拜堅議郎。時長沙賊區星自稱將軍，衆萬餘人，攻圍城邑，乃以堅爲長沙太守。到郡親率將士，施設方略，旬月之閒，克破星等。周朝、郭石亦帥徒衆起於零、桂，與星相應。遂越境尋討，三郡肅然。漢朝録前後功，封堅烏程侯。

靈帝崩，卓擅朝政，横恣京城。諸州郡並興義兵，欲以討卓。堅亦舉兵。荆州刺史王叡素遇堅無禮，堅過殺之。比至南陽，衆數萬人。南陽太守張咨聞軍至，晏然自若。堅以牛酒禮咨，咨明日亦答詣堅。酒酣，長沙主簿入白堅：「前移南陽，而道路不治，軍資不具，請收主簿推問意故。」咨大懼欲去，兵陳四周不得出。有頃，主簿復入白堅：「南陽太守稽停義兵，使賊不時討，請收出案軍法從事。」便牽咨於軍門斬之。郡中震慄，無求不獲。前到魯陽，與袁術相見。術表堅行破虜將軍，領豫州刺史。遂治兵於魯陽城。當進軍討卓，遣長史公仇稱將兵從事還州督促軍糧。施帳幔於城東門外，祖道送稱，官屬並會。卓遣步騎數萬人逆堅，輕騎數十先到。堅方行酒談笑，敕部曲整頓行

陳，無得妄動。後騎漸益，堅徐罷坐，導引入城，乃謂左右曰：『向堅所以不即起者，恐兵相蹈藉，諸君不得入耳。』卓兵見堅士衆甚整，不敢攻城，乃引還。堅移屯梁東，大爲卓軍所攻，堅與數十騎潰圍而出。堅常著赤罽幘，乃脱幘令親近將祖茂著之。卓騎爭逐茂，故堅從間道得免。茂困迫，下馬，以幘冠冢間燒柱，因伏草中。卓騎望見，圍繞數重，定近覺是柱，乃去。堅復相收兵，合戰於陽人，大破卓軍，梟其都督華雄等。是時，或間堅於術，術懷疑，不運軍糧。陽人去魯陽百餘里，堅夜馳見術，畫地計校，曰：『所以出身不顧，上爲國家討賊，下慰將軍家門之私讎。堅與卓非有骨肉之怨也，而將軍受譖潤之言，還相嫌疑！』術踧踖，即調發軍糧。堅還屯。卓憚堅猛壯，乃遣將軍李傕等來求和親，令堅列疏子弟任刺史、郡守者，許表用之。堅曰：『卓逆天無道，蕩覆王室，今不夷汝三族，縣示四海，則吾死不瞑目，豈將與乃和親邪？』復進軍大谷，拒雒九十里。卓尋徙都西入關，焚燒雒邑。堅乃前入至雒，脩諸陵，平塞卓所發掘。訖，引軍還，住魯陽。

初平三年，術使堅征荆州，擊劉表。表遣黄祖逆於樊、鄧之間。堅擊破之，追渡漢水，遂圍襄陽，單馬行峴山，爲祖軍士所射殺。兄子賁，帥將士衆就術，術復表賁爲豫州刺史。

堅四子：策、權、翊、匡。權既稱尊號，謚堅曰武烈皇帝。

策字伯符。堅初興義兵，策將母徙居舒，與周瑜相友，收合士大夫，江、淮間人咸向之。堅薨，還葬曲阿。已乃渡江居江都。

徐州牧陶謙深忌策。策舅吴景，時爲丹楊太守，策乃載母徙曲阿，與吕範、孫河俱就景，因緣召募得數百人。興平元年，從袁術。術甚奇之，以堅部曲還策。太傅馬日磾杖節安集關東，在壽春以禮辟策，表拜懷義校尉，術大將喬蕤、張勳皆傾心敬焉。術常歎曰：『使術有子如孫郎，死復何恨！』策騎士有罪，逃入術營，隱於内廐。策指使人就斬之，訖，詣術謝。術曰：『兵人好叛，當共疾之，何爲謝也？』由是軍中益畏憚之。術初許策爲九江太守，已而更用丹楊陳紀。後術欲攻徐州，從廬江太守陸康求米三萬斛。康不與，術大怒。策昔曾詣康，康不見，使主簿接之。策嘗銜恨。術遣策攻康，謂曰：『前錯用陳紀，每恨本意不遂。今若得康，廬江真卿有也。』策攻康，拔之，術復用其故吏劉勳爲太守，策益失望。先是，劉繇爲揚州刺史，州舊治壽春。壽春，術已據之，繇乃渡江治曲阿。時吴景尚在丹楊，策從兄賁又爲丹楊都尉，繇至，皆迫逐之。景、賁退舍歷陽。繇遣樊能、于麋東屯横江津，張英屯當利口，以距術。術自用故吏琅邪惠衢爲揚州刺史，更以景爲督軍中郎將，與賁共將兵擊英等，連年不克。策乃説術，乞助景等平定江東。術表策爲折衝校尉，行殄寇將軍，兵財千餘，騎數十匹，賓客願從者數百人。比至歷陽，衆五六千。策母先自曲阿徙於歷陽，策又徙母阜陵，渡江轉鬭，所向皆破，莫敢當其鋒，而軍令整肅，百姓懷之。

策爲人，美姿顔，好笑語，性闊達聽受，善於用人，是以士民見者，莫不盡心，樂爲致死。劉繇棄軍遁逃，諸郡守皆捐城郭奔走。吴人嚴白虎等衆各萬餘人，處處屯聚。吴景等欲先擊破虎等，乃至會稽。策曰：『虎等群盜，非有大志，此成禽耳。』遂引兵渡浙江，據會稽，屠東冶，乃攻破虎等。盡更置長吏，策自領會稽太守，復以吴景爲丹楊太守，以孫賁爲豫章太守；分豫章爲廬陵郡，以賁弟

輔爲廬陵太守，丹楊朱治爲吳郡太守。彭城張昭、廣陵張紘、秦松、陳端等爲謀主。時袁術僭號，策以書責而絶之。曹公表策爲討逆將軍，封爲吳侯。後術死，長史楊弘、大將張勳等將其衆欲就策，廬江太守劉勳要擊，悉虜之，收其珍寶以歸。策聞之，僞與勳好盟。勳新得術衆，時豫章上繚宗民萬餘家在江東，策勸勳攻取之。勳既行，策輕軍晨夜襲拔廬江，勳衆盡降，勳獨與麾下數百人自歸曹公。是時袁紹方强，而策并江東，曹公力未能逞，且欲撫之。乃以弟女配策小弟匡，又爲子章取賁女，皆禮辟策弟權、翊，又命揚州刺史嚴象舉權茂才。

建安五年，曹公與袁紹相拒於官渡，策陰欲襲許，迎漢帝，密治兵，部署諸將。未發，會爲故吳郡太守許貢客所殺。先是，策殺貢，貢小子與客亡匿江邊。策單騎出，卒與客遇，客擊傷策。創甚，請張昭等謂曰：『中國方亂，夫以吳、越之衆，三江之固，足以觀成敗。公等善相吾弟！』呼權佩以印綬，謂曰：『舉江東之衆，決機於兩陳之間，與天下爭衡，卿不如我；舉賢任能，各盡其心，以保江東，我不如卿。』至夜卒，時年二十六。

權稱尊號，追謚策曰長沙桓王，封子紹爲吳侯，後改封上虞侯。紹卒，子奉嗣。孫晧時，訛言謂奉當立，誅死。

評曰：孫堅勇摯剛毅，孤微發迹，導温戮卓，山陵杜塞，有忠壯之烈。策英氣傑濟，猛鋭冠世，覽奇取異，志陵中夏。然皆輕佻果躁，隕身致敗。且割據江東，策之基兆也，而權尊崇未至，子止侯爵，於義儉矣。

三國志卷四十七

吳書二

吳主傳第二

孫權字仲謀。兄策既定諸郡，時權年十五，以爲陽羨長。郡察孝廉，州舉茂才，行奉義校尉。漢以策遠脩職貢，遣使者劉琬加錫命。琬語人曰：『吾觀孫氏兄弟雖各才秀明達，然皆祿祚不終，惟中弟孝廉，形貌奇偉，骨體不恒，有大貴之表，年又最壽，爾試識之。』

建安四年，從策征廬江太守劉勳。勳破，進討黃祖於沙羨。

五年，策薨，以事授權，權哭未及息。策長史張昭謂權曰：『孝廉，此寧哭時邪？且周公立法而伯禽不師，非欲違父，時不得行也。況今姦宄競逐，豺狼滿道，乃欲哀親戚，顧禮制，是猶開門而揖盜，未可以爲仁也。』乃改易權服，扶令上馬，使出巡軍。是時惟有會稽、吳郡、丹楊、豫章、廬陵，然深險之地猶未盡從，而天下英豪布在州郡，賓旅寄寓之士以安危去就爲意，未有君臣之固。張昭、周瑜等謂權可與共成大業，故委心而服事焉。曹公表權爲討虜將軍，領會稽太守，屯吳，使丞之郡行文書事。待張昭以師傅之禮，而周瑜、程普、呂範等爲將率。招延俊秀，聘求名士，魯肅、諸葛瑾等始爲賓客。分部諸將，鎮撫山越，討不從命。

七年，權母吳氏薨。

八年，權西伐黃祖，破其舟軍，惟城未克，而山寇復動。還過豫章，使呂範平鄱陽，程普討樂安，

太史慈領海昏，韓當、周泰、呂蒙等爲劇縣令長。

九年，權弟丹楊太守翊爲左右所害，以從兄瑜代翊。

十年，權使賀齊討上饒，分爲建平縣。

十二年，西征黃祖，虜其人民而還。

十三年春，權復征黃祖，祖先遣舟兵拒軍，都尉呂蒙破其前鋒，而凌統、董襲等盡鋭攻之，遂屠其城。祖挺身亡走，騎士馮則追梟其首，虜其男女數萬口。是歲，使賀齊討黟、歙，分歙爲始新、新定、黎陽、休陽縣，以六縣爲新都郡。荆州牧劉表死，魯肅乞奉命弔表二子，且以觀變。肅未到，而曹公已臨其境，表子琮舉衆以降。劉備欲南濟江，肅與相見，因傳權旨，爲陳成敗。備進住夏口，使諸葛亮詣權，權遣周瑜、程普等行。是時曹公新得表衆，形勢甚盛，諸議者皆望風畏懼，多勸權迎之。惟瑜、肅執拒之議，意與權同。瑜、普爲左右督，各領萬人，與備俱進，遇於赤壁，大破曹公軍。公燒其餘船引退，士卒飢疫，死者大半。備、瑜等復追至南郡，曹公遂北還，留曹仁、徐晃於江陵，使樂進守襄陽。時甘寧在夷陵，爲仁黨所圍，用呂蒙計，留凌統以拒仁，以其半救寧，軍以勝反。權自率衆圍合肥，使張昭攻九江之當塗。昭兵不利，權攻城逾月不能下。曹公自荆州還，遣張喜將騎赴合肥。未至，權退。

十四年，瑜、仁相守歲餘，所殺傷甚衆。仁委城走。權以瑜爲南郡太守。劉備表權行車騎將軍，領徐州牧。備領荆州牧，屯公安。

十五年，分豫章爲鄱陽郡；分長沙爲漢昌郡，以魯肅爲太守，屯陸口。

十六年，權徙治秣陵。明年，城石頭，改秣陵爲建業。聞曹公將來侵，作濡須塢。

十八年正月，曹公攻濡須，權與相拒月餘。曹公望權軍，歎其齊肅，乃退。初，曹公恐江濱郡縣爲權所略，徵令內移。民轉相驚，自廬江、九江、蘄春、廣陵戶十餘萬皆東渡江，江西遂虛，合肥以南惟有皖城。

十九年五月，權征皖城。閏月，克之，獲廬江太守朱光及參軍董和，男女數萬口。是歲劉備定蜀。權以備已得益州，令諸葛瑾從求荊州諸郡。備不許，曰：『吾方圖涼州，涼州定，乃盡以荊州與吳耳。』權曰：『此假而不反，而欲以虛辭引歲。』遂置南三郡長吏，關羽盡逐之。權大怒，乃遣呂蒙督鮮于丹、徐忠、孫規等兵二萬取長沙、零陵、桂陽三郡，使魯肅以萬人屯巴丘以禦關羽。權住陸口，爲諸軍節度。蒙到，二郡皆服，惟零陵太守郝普未下。會備到公安，使關羽將三萬兵至益陽，權乃召蒙等使還助肅。蒙使人誘普，普降，盡得三郡將守，因引軍還，與孫皎、潘璋并魯肅兵並進，拒羽於益陽。未戰，會曹公入漢中，備懼失益州，使使求和。權令諸葛瑾報，更尋盟好，遂分荊州長沙、江夏、桂陽以東屬權，南郡、零陵、武陵以西屬備。備歸，而曹公已還。權反自陸口，遂征合肥。合肥未下，徹軍還。兵皆就路，權與凌統、甘寧等在津北爲魏將張遼所襲，統等以死扞權，權乘駿馬越津橋得去。

二十一年冬，曹公次于居巢，遂攻濡須。

二十二年春，權令都尉徐詳詣曹公請降，公報使脩好，誓重結婚。

二十三年十月，權將如吳，親乘馬射虎於庱亭。馬爲虎所傷，權投以雙戟，虎却廢，常從張世擊以戈，獲之。

二十四年，關羽圍曹仁於襄陽，曹公遣左將軍于禁救之。會漢水暴起，羽以舟兵盡虜禁等步騎三萬送江陵，惟城未拔。權內憚羽，外欲以爲己功，箋與曹公，乞以討羽自效。曹公且欲使羽與權相持以鬬之，驛傳權書，使曹仁以弩射示羽。羽猶豫不能去。閏月，權征羽，先遣呂蒙襲公安，獲將軍士仁。蒙到南郡，南郡太守麋芳以城降。蒙據江陵，撫其老弱，釋于禁之囚。陸遜別取宜都，獲秭歸、枝江、夷道，還屯夷陵，守峽口以備蜀。關羽還當陽，西保麥城。權使誘之。羽僞降，立幡旗爲象人於城上，因遁走，兵皆解散，尚十餘騎。權先使朱然、潘璋斷其徑路。十二月，璋司馬馬忠獲羽及其子平、都督趙累等於章鄉，遂定荊州。是歲大疫，盡除荊州民租稅。曹公表權爲驃騎將軍，假節領荊州牧，封南昌侯。權遣校尉梁寓奉貢于漢，及令王惇市馬，又遣朱光等歸。

二十五年春正月，曹公薨，太子丕代爲丞相魏王，改年爲延康。秋，魏將梅敷使張儉求見撫納。南陽陰、酇、築陽、山都、中廬五縣民五千家來附。冬，魏嗣王稱尊號，改元爲黃初。二年四月，劉備稱帝於蜀。權自公安都鄂，改名武昌，以武昌、下雉、尋陽、陽新、柴桑、沙羨六縣爲武昌郡。五月，建業言甘露降。八月，城武昌，下令諸將曰：『夫存不忘亡，安必慮危，古之善教。昔雋不疑漢之名臣，於安平之世而刀劍不離於身，蓋君子之於武備，不可以已。況今處身疆畔，豺狼交接，而可輕忽不

思變難哉？頃聞諸將出入，各尚謙約，不從人兵，甚非備慮愛身之謂。夫保己遺名，以安君親，孰與危辱？宜深警戒，務崇其大，副孤意焉。』自魏文帝踐阼，權使命稱藩，及遣于禁等還。十一月，策命權曰：『蓋聖王之法，以德設爵，以功制祿；勞大者祿厚，德盛者禮豐。故叔旦有夾輔之勳，太公有鷹揚之功，並啓土宇，并受備物，所以表章元功，殊異賢哲也。近漢高祖受命之初，分裂膏腴以王八姓，斯則前世之懿事，後王之元龜也。朕以不德，承運革命，君臨萬國，秉統天機，思齊先代，坐而待旦。惟君天資忠亮，命世作佐，深睹曆數，達見廢興，遠遣行人，浮于潛漢。望風影附，抗疏稱藩，兼納纖絺南方之貢，普遣諸將來還本朝，忠肅內發，款誠外昭，信著金石，義蓋山河，朕甚嘉焉。今封君爲吳王，使使持節太常高平侯貞，授君璽綬策書、金虎符第一至第五、左竹使符第一至第十，以大將軍使持節督交州，領荆州牧事，錫君青土，苴以白茅，對揚朕命，以尹東夏。其上故驃騎將軍南昌侯印綬符策。今又加君九錫，其敬聽後命。以君綏安東南，綱紀江外，民夷安業，無或攜貳，是用錫君大輅、戎輅各一，玄牡二駟。君務財勸農，倉庫盈積，是用錫君衮冕之服，赤舄副焉。君化民以德，禮教興行，是用錫君軒縣之樂。君宣導休風，懷柔百越，是用錫君朱户以居。君運其才謀，官方任賢，是用錫君納陛以登。君忠勇並奮，清除奸慝，是用錫君虎賁之士百人。君振威陵邁，宣力荆南，梟滅凶醜，罪人斯得，是用錫君鈇鉞各一。君文和於內，武信於外，是用錫君彤弓一、彤矢百、玈弓十、玈矢千。君以忠肅爲基，恭儉爲德，是用錫君秬鬯一卣，圭瓚副焉。欽哉！敬敷訓典，以服朕命，以勖相我國家，永終爾顯烈。』是歲，劉備帥軍來伐，至巫山、秭歸，使使誘導武陵蠻夷，假與印傳，許之封賞。於是諸縣及五谿民皆反爲蜀。權以陸遜爲督，督朱然、潘璋等以拒之。遣都尉趙咨使魏。魏帝問曰：『吳王何等主也？』咨對曰：『聰明仁智，雄略之主也。』帝問其狀，咨曰：『納魯肅於凡品，是其聰也；拔呂蒙於行陳，是其明也；獲于禁而不害，是其仁也；取荆州而兵不血刃，是其智也；據三州虎視於天下，是其雄也；屈身於陛下，是其略也。』帝欲封權子登，權以登年幼，上書辭封，重遣西曹掾沈珩陳謝，并獻方物。立登爲王太子。

黄武元年春正月，陸遜部將軍宋謙等攻蜀五屯，皆破之，斬其將。三月，鄱陽言黄龍見。蜀軍分據險地，前後五十餘營，遜隨輕重以兵應拒，自正月至閏月，大破之，臨陳所斬及投兵降首數萬人。劉備奔走，僅以身免。

初，權外托事魏，而誠心不款。魏欲遣侍中辛毗、尚書桓階往與盟誓，并徵任子，權辭讓不受。秋九月，魏乃命曹休、張遼、臧霸出洞口，曹仁出濡須，曹真、夏侯尚、張郃、徐晃圍南郡。權遣呂範等督五軍，以舟軍拒休等，諸葛瑾、潘璋、楊粲救南郡，朱桓以濡須督拒仁。時揚、越蠻夷多未平集，內難未弭，故權卑辭上書，求自改厲，『若罪在難除，必不見置，當奉還土地民人，乞寄命交州，以終餘年。』文帝報曰：『君生於擾攘之際，本有從横之志，降身奉國，以享兹祚。自君策名已來，貢獻盈路。討備之功，國朝仰成。埋而掘之，古人之所耻。朕之與君，大義已定，豈樂勞師遠臨江漢？廊廟之議，王者所不得專；三公上君過失，皆有本末。朕以不明，雖有曾母投杼之疑，猶冀言者不信，以爲國福。故先遣使者犒勞，又遣尚書、侍中踐脩前言，以定任子。君遂設辭，不欲使進，議者怪之。又

前都尉浩周勸君遣子，乃實朝臣交謀，以此卜君，君果有辭，外引隗囂遣子不終，內喻竇融守忠而已。世殊時異，人各有心。浩周之還，口陳指麾，益令議者發明衆嫌，終始之本，無所據仗，故遂俛仰從群臣議。今省上事，款誠深至，心用慨然，凄愴動容。即日下詔，敕諸軍但深溝高壘，不得妄進。若君必效忠節，以解疑議，登身朝到，夕召兵還。此言之誠，有如大江！』權遂改年，臨江拒守。冬十一月，大風，範等兵溺死者數千，餘軍還江南。曹休使臧霸以輕船五百、敢死萬人襲攻徐陵，燒攻城車，殺略數千人。將軍全琮、徐盛追斬魏將尹盧，殺獲數百。十二月，權使太中大夫鄭泉聘劉備于白帝，始復通也。然猶與魏文帝相往來，至後年乃絕。是歲改夷陵爲西陵。

二年春正月，曹真分軍據江陵中州。是月，城江夏山。改四分，用乾象曆。三月，曹仁遣將軍常彫等，以兵五千，乘油船，晨渡濡須中州。仁子泰因引軍急攻朱桓，桓兵拒之，遣將軍嚴圭等擊破彫等。是月，魏軍皆退。夏四月，權群臣勸即尊號，權不許。劉備薨于白帝。五月，曲阿言甘露降。先是戲口守將晉宗殺將王直，以衆叛如魏，魏以爲蘄春太守，數犯邊境。六月，權令將軍賀齊督糜芳、劉邵等襲蘄春，邵等生虜宗。冬十一月，蜀使中郎將鄧芝來聘。

三年夏，遣輔義中郎將張温聘于蜀。秋八月，赦死罪。九月，魏文帝出廣陵，望大江，曰『彼有人焉，未可圖也』，乃還。

四年夏五月，丞相孫邵卒。六月，以太常顧雍爲丞相。皖口言木連理。冬十二月，鄱陽賊彭綺自稱將軍，攻没諸縣，衆數萬人。是歲地連震。

五年春，令曰：『軍興日久，民離農畔，父子夫婦，不能相恤，孤甚愍之。今北虜縮竄，方外無事，其下州郡，有以寬息。』是時陸遜以所在少穀，表令諸將增廣農畝。權報曰：『甚善。今孤父子親自受田，車中八牛以爲四耦，雖未及古人，亦欲與衆均等其勞也。』秋七月，權聞魏文帝崩，征江夏，圍石陽，不克而還。蒼梧言鳳皇見。分三郡惡地十縣置東安郡，以全琮爲太守，平討山越。冬十月，陸遜陳便宜，勸以施德緩刑，寬賦息調。又云：『忠讜之言，不能極陳，求容小臣，數以利聞。』權報曰：『夫法令之設，欲以遏惡防邪，儆戒未然也，焉得不有刑罰以威小人乎？此爲先令後誅，不欲使有犯者耳。君以爲太重者，孤亦何利其然，但不得已而爲之耳。今承來意，當重諮謀，務從其可。且近臣有盡規之諫，親戚有補察之箴，所以匡君正主明忠信也。《書》載「予違汝弼，汝無面從」，孤豈不樂忠言以自裨補邪？而云「不敢極陳」，何得爲忠讜哉？若小臣之中，有可納用者，寧得以人廢言而不採擇乎？但諂媚取容，雖闇亦所明識也。至於發調者，徒以天下未定，事以衆濟。若徒守江東，脩崇寬政，兵自足用，復用多爲？顧坐自守可陋耳。若不豫調，恐臨時未可使用也。又孤與君分義特異，榮戚實同，來表云不敢隨衆容身苟免，此實甘心所望於君也。』於是令有司盡寫科條，使郎中褚逢齎以就遜及諸葛瑾，意所不安，令損益之。是歲，分交州置廣州，俄復舊。

六年春正月，諸將獲彭綺。閏月，韓當子綜以其衆降魏。

七年春三月，封子慮爲建昌侯。罷東安郡。夏五月，鄱陽太守周魴僞叛，誘魏將曹休。秋八月，權至皖口，使將軍陸遜督諸將大破休於石亭。大司馬呂範卒。是歲，改合浦爲珠官郡。

黄龍元年春，公卿百司皆勸權正尊號。夏四月，夏口、武昌並言黄龍、鳳凰見。丙申，南郊即皇帝位，是日大赦，改年。追尊父破虜將軍堅爲武烈皇帝，母吴氏爲武烈皇后，兄討逆將軍策爲長沙桓王。吴王太子登爲皇太子。將吏皆進爵加賞。初，興平中，吴中童謡曰：『黄金車，班蘭耳，闓昌門，出天子。』五月，使校尉張剛、管篤之遼東。六月，蜀遣衛尉陳震慶權踐位。權乃參分天下，豫、青、徐、幽屬吴，兗、冀、并、凉屬蜀。其司州之土，以函谷關爲界，造爲盟曰：『天降喪亂，皇綱失叙，逆臣乘釁，劫奪國柄，始於董卓，終於曹操，窮凶極惡，以覆四海，至令九州幅裂，普天無統，民神痛怨，靡所戾止。及操子丕，桀逆遺醜，荐作奸回，偷取天位。而叡么麽，尋丕凶迹，阻兵盜土，未伏厥誅。昔共工亂象而高辛行師，三苗干度而虞舜征焉。今日滅叡，禽其徒黨，非漢與吴，將復誰任？夫討惡翦暴，必聲其罪，宜先分裂，奪其土地，使士民之心，各知所歸。是以《春秋》晋侯伐衛，先分其田以畀宋人，斯其義也。且古建大事，必先盟誓，故《周禮》有司盟之官，《尚書》有告誓之文，漢之與吴，雖信由中，然分土裂境，宜有盟約。諸葛丞相德威遠著，翼戴本國，典戎在外，信感陰陽，誠動天地，重復結盟，廣誠約誓，使東西士民咸共聞知。故立壇殺牲，昭告神明，再歃加書，副之天府。天高聽下，靈威棐諶，司慎司盟，群神群祀，莫不臨之。自今日漢、吴既盟之後，戮力一心，同討魏賊，救危恤患，分灾共慶，好惡齊之，無或携貳。若有害漢，則吴伐之；若有害吴，則漢伐之。各守分土，無相侵犯。傳之後葉，克終若始。凡百之約，皆如載書。信言不艷，實居于好。有渝此盟，創禍先亂，違貳不協，慆慢天命，明神上帝是討是督，山川百神是糾是殛，俾墜其師，無克祚國。于爾大神，其明鑒之！』秋九月，權遷都建業，因故府不改館，徵上大將軍陸遜輔太子登，掌武昌留事。

二年春正月，魏作合肥新城。詔立都講祭酒，以教學諸子。遣將軍衛温、諸葛直將甲士萬人浮海求夷洲及亶洲。亶洲在海中，長老傳言秦始皇帝遣方士徐福將童男童女數千人入海，求蓬萊神山及仙藥，止此洲不還。世相承有數萬家，其上人民，時有至會稽貨布，會稽東縣人海行，亦有遭風流移至亶洲者。所在絶遠，卒不可得至，但得夷洲數千人還。

三年春二月，遣太常潘濬率衆五萬討武陵蠻夷。衛温、諸葛直皆以違詔無功，下獄誅。夏，有野蠶成繭，大如卵。由拳野稻自生，改爲禾興縣。中郎將孫布詐降以誘魏將王凌，凌以軍迎布。冬十月，權以大兵潛伏於阜陵俟之，凌覺而走。會稽南始平言嘉禾生。十二月丁卯，大赦，改明年元也。

嘉禾元年春正月，建昌侯慮卒。三月，遣將軍周賀、校尉裴潛乘海之遼東。秋九月，魏將田豫要擊，斬賀于成山。冬十月，魏遼東太守公孫淵遣校尉宿舒、郎中令孫綜稱藩於權，并獻貂馬。權大悦，加淵爵位。

二年春正月，詔曰：『朕以不德，肇受元命，夙夜兢兢，不遑假寢。思平世難，救濟黎庶，上答神祇，下慰民望。是以眷眷，勤求俊傑，將與戮力，共定海内，苟在同心，與之偕老。今使持節督幽州領青州牧遼東太守燕王，久脅賊虜，隔在一方，雖乃心於國，其路靡緣。今因天命，遠遣二使，款誠顯露，章表殷勤，朕之得此，何喜如之！雖湯遇伊尹，周獲吕望，世祖未定而得河右，方之今日，豈復是過？普天一統，於是定矣。《書》不云乎，「一人有慶，兆民賴之」。其大赦天下，與之更始，其明

下州郡，咸使聞知。特下燕國，奉宣詔恩，令普天率土備聞斯慶。』三月，遣舒、綜還，使太常張彌、執金吾許晏、將軍賀達等將兵萬人，金寶珍貨，九錫備物，乘海授淵。』舉朝大臣，自丞相雍已下皆諫，以爲淵未可信，而寵待太厚，但可遣吏兵數百護送舒、綜，權終不聽。淵果斬彌等，送其首于魏，沒其兵資。權大怒，欲自征淵，尚書僕射薛綜等切諫乃止。是歲，權向合肥新城，遣將軍全琮征六安，皆不克還。

三年春正月，詔曰：『兵久不輟，民困於役，歲或不登。其寬諸逋，勿復督課。』夏五月，權遣陸遜、諸葛瑾等屯江夏、沔口，孫韶、張承等向廣陵、淮陽，權率大衆圍合肥新城。是時蜀相諸葛亮出武功，權謂魏明帝不能遠出，而帝遣兵助司馬宣王拒亮，自率水軍東征。未至壽春，權退還，孫韶亦罷。秋八月，以諸葛恪爲丹楊太守，討山越。九月朔，隕霜傷穀。冬十一月，太常潘濬平武陵蠻夷，事畢，還武昌。詔復曲阿爲雲陽，丹徒爲武進。廬陵賊李桓、羅厲等爲亂。

四年夏，遣呂岱討桓等。秋七月，有雹。魏使以馬求易珠璣、翡翠、玳瑁，權曰：『此皆孤所不用，而可得馬，何苦而不聽其交易？』

五年春，鑄大錢，一當五百。詔使吏民輸銅，計銅畀直。設盜鑄之科。二月，武昌言甘露降於禮賓殿。輔吳將軍張昭卒。中郎將吾粲獲李桓，將軍唐咨獲羅厲等。自十月不雨，至於夏。冬十月，彗星見于東方。鄱陽賊彭旦等爲亂。

六年春正月，詔曰：『夫三年之喪，天下之達制，人情之極痛也；賢者割哀以從禮，不肖者勉

而致之。世治道泰，上下無事，君子不奪人情，故三年不逮孝子之門。至於有事，則殺禮以從宜，要經而處事。故聖人制法，有禮無時則不行。遭喪不奔非古也，蓋隨時之宜，以義斷恩也。前故設科，長吏在官，當須交代，而故犯之，雖隨糾坐，猶已廢曠。方事之殷，國家多難，凡在官司，宜各盡節，先公後私，而不恭承，甚非謂也。中外群僚，其更平議，務令得中，詳爲節度。』顧譚議，以爲『奔喪立科，輕則不足以禁孝子之情，重則本非應死之罪，雖嚴刑益設，違奪必少。若偶有犯者，加其刑則恩所不忍，有減則法廢不行。愚以爲長吏在遠，苟不告語，勢不得知。比選代之間，若有傳者，必加大辟，則長吏無廢職之負，孝子無犯重之刑。』將軍胡綜議，以爲『喪紀之禮，雖有典制，苟無其時，所不得行。方今戎事軍國異容，而長吏遭喪，知有科禁，公敢干突，苟念聞憂不奔之恥，不計爲臣犯禁之罪，此由科防本輕所致。忠節在國，孝道立家，出身爲臣，焉得兼之？故爲忠臣不得爲孝子。宜定科文，示以大辟，若故違犯，有罪無赦。以殺止殺，行之一人，其後必絕。』丞相雍奏從大辟。其後吳令孟宗喪母奔赴，已而自拘於武昌以聽刑。陸遜陳其素行，因爲之請，權乃減宗一等，後不得以爲比，因此遂絕。二月，陸遜討彭旦等，其年，皆破之。冬十月，遣衛將軍全琮襲六安，不克。諸葛恪平山越事畢，北屯廬江。

赤烏元年春，鑄當千大錢。夏，呂岱討廬陵賊，畢，還陸口。秋八月，武昌言麒麟見。有司奏言麒麟者太平之應，宜改年號。詔曰：『閒者赤烏集於殿前，朕所親見，若神靈以爲嘉祥者，改年宜以赤烏爲元。』群臣奏曰：『昔武王伐紂，有赤烏之祥，君臣觀之，遂有天下，聖人書策載述最詳者，以

爲近事既嘉，親見又明也。』於是改年。步夫人卒，追贈皇后。初，權信任校事呂壹，壹性苛慘，用法深刻。太子登數諫，權不納，大臣由是莫敢言。後壹奸罪發露伏誅，權引咎責躬，乃使中書郎袁禮告謝諸大將，因問時事所當損益。禮還，復有詔責數諸葛瑾、步騭、朱然、呂岱等曰：『袁禮還，云與子瑜、子山、義封、定公相見，並以時事當有所先後，各自以不掌民事，不肯便有所陳，悉推之伯言、承明。伯言、承明見禮，泣涕懇惻，辭旨辛苦，至乃懷執危怖，有不自安之心。聞此悵然，深自刻怪。何者？夫惟聖人能無過行，明者能自見耳。人之舉措，何能悉中，獨當己有以傷拒衆意，忽不自覺，故諸君有嫌難耳；不爾，何緣乃至於此乎？自孤興軍五十年，所役賦凡百皆出於民。天下未定，孽類猶存，士民勤苦，誠所貫知。然勞百姓，事不得已耳。與諸君從事，自少至長，髮有二色，以謂表裏足以明露，公私分計，足用相保。盡言直諫，所望諸君；拾遺補闕，孤亦望之。昔衛武公年過志壯，勤求輔弼，每獨嘆責。且布衣韋帶，相與交結，分成好合，尚汚垢不異。今日諸君與孤從事，雖君臣義存，猶謂骨肉不復是過。榮福喜戚，相與共之。忠不匿情，智無遺計，事統是非，諸君豈得從容而已哉！同船濟水，將誰與易？齊桓諸侯之霸者耳，有善管子未嘗不嘆，有過未嘗不諫，諫而不得，終諫不止。今孤自省無桓公之德，而諸君諫諍未出於口，仍執嫌難。以此言之，孤於齊桓良優，未知諸君於管子何如耳？久不相見，因事當笑。共定大業，整齊天下，當復有誰？凡百事要所當損益，樂聞異計，匡所不逮。』

二年春三月，遣使者羊衜、鄭胄、將軍孫怡之遼東，擊魏守將張持、高慮等，虜得男女。零陵言甘露降。夏五月，城沙羨。冬十月，將軍蔣秘南討夷賊。秘所領都督廖式殺臨賀太守嚴綱等，自稱平南將軍，與弟潛共攻零陵、桂陽，及搖動交州、蒼梧、鬱林諸郡，衆數萬人。遣將軍呂岱、唐咨討之，歲餘皆破。

三年春正月，詔曰：『蓋君非民不立，民非穀不生。頃者以來，民多征役，歲又水旱，年穀有損，而吏或不良，侵奪民時，以致饑困。自今以來，督軍郡守，其謹察非法，當農桑時，以役事擾民者，舉正以聞。』夏四月，大赦，詔諸郡縣治城郭，起譙樓，穿塹發渠，以備盜賊。冬十一月，民飢，詔開倉廩以賑貧窮。

四年春正月，大雪，平地深三尺，鳥獸死者大半。夏四月，遣衛將軍全琮略淮南，決芍陂，燒安城邸閣，收其人民。威北將軍諸葛恪攻六安。琮與魏將王淩戰于芍陂，中郎將秦晃等十餘人戰死。車騎將軍朱然圍樊，大將軍諸葛瑾取柤中。五月，太子登卒。是月，魏太傅司馬宣王救樊。六月，軍還。閏月，大將軍瑾卒。秋八月，陸遜城邾。

五年春正月，立子和爲太子，大赦，改禾興爲嘉興。百官奏立皇后及四王，詔曰：『今天下未定，民物勞瘁，且有功者或未録，饑寒者尚未恤，猥割土壤以豐子弟，崇爵位以寵妃妾，孤甚不取。其釋此議。』三月，海鹽縣言黃龍見。夏四月，禁進獻御，減太官膳。秋七月，遣將軍聶友、校尉陸凱以兵三萬討珠崖、儋耳。是歲大疫，有司又奏立后及諸王。八月，立子霸爲魯王。

六年春正月，新都言白虎見。諸葛恪征六安，破魏將謝順營，收其民人。冬十一月，丞相顧雍

卒。十二月，扶南王范旃遣使獻樂人及方物。是歲，司馬宣王率軍入舒，諸葛恪自皖遷于柴桑。

七年春正月，以上大將軍陸遜爲丞相。秋，宛陵言嘉禾生。是歲，步騭、朱然等各上疏云：『自蜀還者，咸言欲背盟與魏交通，多作舟船，繕治城郭。又蔣琬守漢中，聞司馬懿南向，不出兵乘虛以掎角之，反委漢中，還近成都。事已彰灼，無所復疑，宜爲之備。』權揆其不然，曰：『吾待蜀不薄，聘享盟誓，無所負之，何以致此？又司馬懿前來入舒，旬日便退，蜀在萬里，何知緩急而便出兵乎？昔魏欲入漢川，此間始嚴，亦未舉動，會聞魏還而止，蜀寧可復以此有疑邪？又人家治國，舟船城郭，何得不護？今此間治軍，寧復欲以禦蜀邪？人言苦不可信，朕爲諸君破家保之。』蜀竟自無謀，如權所籌。

八年春二月，丞相陸遜卒。夏，雷霆犯宮門柱，又擊南津大橋楹。茶陵縣鴻水溢出，流漂居民二百餘家。秋七月，將軍馬茂等圖逆，夷三族。八月，大赦。遣校尉陳勳將屯田及作士三萬人鑿句容中道，自小其至雲陽西城，通會市，作邸閣。

九年春二月，車騎將軍朱然征魏柤中，斬獲千餘。夏四月，武昌言甘露降。秋九月，以驃騎將軍步騭爲丞相，車騎將軍朱然爲左大司馬，衛將軍全琮爲右大司馬，鎮南將軍呂岱爲上大將軍，威北將軍諸葛恪爲大將軍。

十年春正月，右大司馬全琮卒。二月，權適南宮。三月，改作太初宮，諸將及州郡皆義作。夏五月，丞相步騭卒。冬十月，赦死罪。

十一年春正月，朱然城江陵。二月，地仍震。三月，宮成。夏四月，雨雹，雲陽言黃龍見。五月，鄱陽言白虎仁。詔曰：『古者聖王積行累善，脩身行道，以有天下，故符瑞應之，所以表德也。朕以不明，何以臻茲？《書》云「雖休勿休」，公卿百司，其勉脩所職，以匡不逮。』

十二年春三月，左大司馬朱然卒。四月，有兩烏銜鵲墮東館。丙寅，驃騎將軍朱據領丞相，燎鵲以祭。

十三年夏五月，日至，熒惑入南斗，秋七月，犯魁第二星而東。八月，丹楊、句容及故鄣、寧國諸山崩，鴻水溢。詔原逋責，給貸種食。廢太子和，處故鄣。魯王霸賜死。冬十月，魏將文欽僞叛以誘朱異，權遣呂據就異以迎欽。異等持重，欽不敢進。十一月，立子亮爲太子。遣軍十萬，作堂邑涂塘以淹北道。十二月，魏大將軍王昶圍南郡，荆州刺史王基攻西陵，遣將軍戴烈、陸凱往拒之，皆引還。是歲，神人授書，告以改年、立后。

太元元年夏五月，立皇后潘氏，大赦，改年。初臨海羅陽縣有神，自稱王表。周旋民閒，語言飲食，與人無異，然不見其形。又有一婢，名紡績。是月，遣中書郎李崇齎輔國將軍羅陽王印綬迎表。表隨崇俱出，與崇及所在郡守令長談論，崇等無以易。所歷山川，輒遣婢與其神相聞。秋七月，崇與表至，權於蒼龍門外爲立第舍，數使近臣齎酒食往。表説水旱小事，往往有驗。八月朔，大風，江海涌溢，平地深八尺，吳高陵松柏斯拔，郡城南門飛落。冬十一月，大赦。權祭南郊還，寢疾。十二月，驛徵大將軍恪，拜爲太子太傅。詔省徭役，減征賦，除民所患苦。

二年春正月，立故太子和爲南陽王，居長沙；子奮爲齊王，居武昌；子休爲瑯邪王，居虎林。二月，大赦，改元爲神鳳。皇后潘氏薨。諸將吏數詣王表請福，表亡去。夏四月，權薨，時年七十一，謚曰大皇帝。秋七月，葬蔣陵。

評曰：孫權屈身忍辱，任才尚計，有句踐之奇，英人之傑矣。故能自擅江表，成鼎峙之業。然性多嫌忌，果於殺戮，暨臻末年，彌以滋甚。至于讒説殄行，胤嗣廢斃，豈所謂貽厥孫謀以燕翼子者哉？其後葉陵遲，遂致覆國，未必不由此也。

三國志卷四十八

吴書三

三嗣主傳第三

孫亮字子明，權少子也。權春秋高，而亮最少，故尤留意。姊全公主嘗譖太子和子母，心不自安，因倚權意，欲豫自結，數稱述全尚女，勸爲亮納。赤烏十三年，和廢，權遂立亮爲太子，以全氏爲妃。

太元元年夏，亮母潘氏立爲皇后。冬，權寢疾，徵大將軍諸葛恪爲太子太傅，會稽太守滕胤爲太常，並受詔輔太子。明年四月，權薨，太子即尊號，大赦，改元。是歲，於魏嘉平四年也。

建興元年閏月，以恪爲帝太傅，胤爲衛將軍領尚書事，上大將軍吕岱爲大司馬，諸文武在位皆進爵班賞，冗官加等。冬十月，太傅恪率軍遏巢湖，城東興，使將軍全端守西城，都尉留略守東城。十二月朔丙申，大風雷電，魏使將軍諸葛誕、胡遵等步騎七萬圍東興，將軍王昶攻南郡，毌丘儉向武昌。甲寅，恪以大兵赴敵。戊午，兵及東興，交戰，大破魏軍，殺將軍韓綜、桓嘉等。是月，雷雨，天灾武昌端門；改作端門，又灾内殿。

二年春正月丙寅，立皇后全氏，大赦。庚午，王昶等皆退。二月，軍還自東興，大行封賞。三月，恪率軍伐魏。夏四月，圍新城，大疫，兵卒死者大半。秋八月，恪引軍還。冬十月，大饗。武衛將軍孫峻伏兵殺恪於殿堂。大赦。以峻爲丞相，封富春侯。十一月，有大鳥五見于春申，改明年元。

五鳳元年夏，大水。秋，吴侯英謀殺峻，覺，英自殺。冬十一月，星茀于斗、牛。

二年春正月，魏鎮東大將軍毌丘儉、前將軍文欽以淮南之衆西入，戰于樂嘉。閏月壬辰，峻及

驃騎將軍吕據、左將軍留贊率兵襲壽春，軍及東興，聞欽等敗。壬寅，兵進于橐皋，欽詣峻降，淮南餘衆數萬口來奔。魏諸葛誕入壽春，峻引軍還。二月，及魏將軍曹珍遇于高亭，交戰，珍敗績。留贊爲誕別將蔣班所敗于菰陂，贊及將軍孫楞、蔣脩等皆遇害。三月，使鎮南將軍朱異襲安豐，不克。秋七月，將軍孫儀、張怡、林恂等謀殺峻，發覺，儀自殺，恂等伏辜。陽羨離里山大石自立。使衛尉馮朝城廣陵，拜將軍吴穰爲廣陵太守，留略爲東海太守。是歲大旱。十二月，作太廟。以馮朝爲監軍使者，督徐州諸軍事，民饑，軍士怨畔。

太平元年春二月朔，建業火。峻用征北大將軍文欽計，將征魏。八月，先遣欽及驃騎將軍吕據、車騎將軍劉纂、鎮南將軍朱異、前將軍唐咨軍自江都入淮、泗。九月丁亥，峻卒，以從弟偏將軍綝爲侍中、武衛將軍，領中外諸軍事，召還據等。據聞綝代峻，大怒。己丑，大司馬吕岱卒。壬辰，太白犯南斗。據、欽、咨等表薦衛將軍滕胤爲丞相，綝不聽。癸卯，更以胤爲大司馬，代吕岱駐武昌。據引兵還，欲討綝。綝遣使以詔書告喻欽、咨等，使取據。冬十月丁未，遣孫憲及丁奉、施寬等以舟兵逆據於江都，遣將軍劉丞督步騎攻胤。胤兵敗夷滅。己酉，大赦，改年。辛亥，獲吕據於新州。十一月，以綝爲大將軍、假節，封永寧侯。孫憲與將軍王惇謀殺綝，事覺，綝殺惇，迫憲令自殺。十二月，使五官中郎將刁玄告亂于蜀。

二年春二月甲寅，大雨，震電。乙卯，雪，大寒。以長沙東部爲湘東郡，西部爲衡陽郡，會稽東部爲臨海郡，豫章東部爲臨川郡。夏四月，亮臨正殿，大赦，始親政事。綝所表奏，多見難問，又科兵子弟年十八已下十五已上，得三千餘人，選大將子弟年少有勇力者爲之將帥。亮曰：『吾立此軍，欲與之俱長。』日於苑中習焉。

五月，魏征東大將軍諸葛誕以淮南之衆保壽春城，遣將軍朱成稱臣上疏，又遣子靚、長史吳綱諸牙門子弟爲質。六月，使文欽、唐咨、全端等步騎三萬救誕。朱異自虎林率衆襲夏口，夏口督孫壹奔魏。秋七月，綝率衆救壽春，次于鑊里，朱異至自夏口，綝使異爲前部督，與丁奉等將介士五萬解圍。八月，會稽南部反，殺都尉。鄱陽、新都民爲亂，廷尉丁密、步兵校尉鄭冑、將軍鍾離牧率軍討之。朱異以軍士乏食引還，綝大怒，九月朔己巳，殺異於鑊里。辛未，綝自鑊里還建業。甲申，大赦。十一月，全緒子禕、儀以其母奔魏。十二月，全端、懌等自壽春城詣司馬文王。

三年春正月，諸葛誕殺文欽。三月，司馬文王克壽春，誕及左右戰死，將吏已下皆降。秋七月，封故齊王奮爲章安侯。詔州郡伐宮材。自八月沈陰不雨四十餘日。亮以綝專恣，與太常全尚，將軍劉丞謀誅綝。九月戊午，綝以兵取尚，遣弟恩攻殺丞於蒼龍門外，召大臣會宮門，黜亮爲會稽王，時年十六。

孫休字子烈，權第六子。年十三，從中書郎射慈、郎中盛沖受學。太元二年正月，封琅邪王，居虎林。四月，權薨，休弟亮承統，諸葛恪秉政，不欲諸王在濱江兵馬之地，徙休於丹楊郡。太守李衡數以事侵休，休上書乞徙他郡，詔徙會稽。居數歲，夢乘龍上天，顧不見尾，覺而異之。孫亮廢，己未，孫綝使宗正孫楷與中書郎董朝迎休。休初聞問，意疑，楷、朝具述綝等所以奉迎本意，留一日二夜，遂發。十月戊寅，行至曲阿，有老公干休叩頭曰：『事久變生，天下喁喁，願陛下速行。』休善之，是日進及布塞亭。武衛將軍恩行丞相事，率百僚以乘輿法駕迎於永昌亭，築宮，以武帳爲便殿，設御座。己卯，休至，望便殿止住，使孫楷先見恩。楷還，休乘輦進，群臣再拜稱臣。休升便殿，謙不即御坐，止東廂。户曹尚書前即階下贊奏，丞相奉璽符。休三讓，群臣三請。休曰：『將相諸侯咸推寡人，寡人敢不承受璽符。』群臣以次奉引，休就乘輿，百官陪位，綝以兵千人迎於半野，拜于道側，休下車答拜。即日，御正殿，大赦，改元。是歲，於魏甘露三年也。

永安元年冬十月壬午，詔曰：『夫褒德賞功，古今通義。其以大將軍綝爲丞相、荆州牧，增食五縣。武衛將軍恩爲御史大夫、衛將軍、中軍督，封縣侯。威遠將軍據爲右將軍、縣侯。偏將軍幹雜號將軍、亭侯。長水校尉張布輔導勤勞，以布爲輔義將軍，封永康侯。董朝親迎，封爲鄉侯。』又詔曰：『丹楊太守李衡，以往事之嫌，自拘有司。夫射鉤斬袪，在君爲君，遣衡還郡，勿令自疑。』己丑，封孫晧爲烏程侯，晧弟德錢唐侯，謙永安侯。

十一月甲午，風四轉五復，蒙霧連日。綝一門五侯皆典禁兵，權傾人主，有所陳述，敬而不違，於是益恣。休恐其有變，數加賞賜。丙申，詔曰：『大將軍忠款内發，首建大計以安社稷，卿士内外，咸贊其議，並有勳勞。昔霍光定計，百僚同心，無復是過。亟案前日與議定策告廟人名，依故事應加

爵位者，促施行之。』戊戌，詔曰：『大將軍掌中外諸軍事，事統煩多，其加衛將軍御史大夫恩侍中，與大將軍分省諸事。』壬子，詔曰：『諸吏家有五人三人兼重爲役，父兄在都，子弟給郡縣吏，既出限米，軍出又從，至於家事無經護者，朕甚愍之。其有五人三人爲役，聽其父兄所欲留，爲留一人，除其米限，軍出不從。』又曰：『諸將吏奉迎陪位在永昌亭者，皆加位一級。』頃之，休聞綝逆謀，陰與張布圖計。十二月戊辰臘，百僚朝賀，公卿升殿，詔武士縛綝，即日伏誅。己巳，詔以左將軍張布討奸臣，加布爲中軍督，封布弟惇爲都亭侯，給兵三百人，惇弟恂爲校尉。

詔曰：『古者建國，教學爲先，所以道世治性，爲時養器也。自建興以來，時事多故，吏民頗以目前趨務，去本就末，不循古道。夫所尚不惇，則傷化敗俗。其案古置學官，立五經博士，核取應選，加其寵祿，科見吏之中及將吏子弟有志好者，各令就業。一歲課試，差其品第，加以位賞。使見之者樂其榮，聞之者羨其譽。以敦王化，以隆風俗。』

二年春正月，震電。三月，備九卿官，詔曰：『朕以不德，托于王公之上，夙夜戰戰，忘寢與食。今欲偃武修文，以崇大化。推此之道，當由士民之贍，必須農桑。《管子》有言：「倉廩實，知禮節；衣食足，知榮辱。」夫一夫不耕，有受其饑，一婦不織，有受其寒；饑寒並至而民不爲非者，未之有也。自頃年已來，州郡吏民及諸營兵，多違此業，皆浮船長江，賈作上下，良田漸廢，見穀日少，欲求大定，豈可得哉？亦由租入過重，農人利薄，使之然乎！今欲廣開田業，輕其賦稅，差科强羸，課其田畝，務令優均，官私得所，使家給户贍，足相供養，則愛身重命，不犯科法，然後刑罰不用，風俗可整。以群僚之忠賢，若盡心於時，雖太古盛化，未可卒致，漢文升平，庶幾可及。及之則臣主俱榮，不及則損削侵辱，何可從容俯仰而已？諸卿尚書，可共咨度，務取便佳。田桑已至，不可後時。事定施行，稱朕意焉。』

三年春三月，西陵言赤烏見。秋，用都尉嚴密議，作浦里塘。會稽郡謡言王亮當還爲天子，而亮宫人告亮使巫禱祠，有惡言。有司以聞，黜爲候官侯，遣之國。道自殺，衛送者伏罪。以會稽南部爲建安郡，分宜都置建平郡。

四年夏五月，大雨，水泉涌溢。秋八月，遣光禄大夫周奕、石偉巡行風俗，察將吏清濁，民所疾苦，爲黜陟之詔。九月，布山言白龍見。是歲，安吳民陳焦死，埋之，六日更生，穿土中出。

五年春二月，白虎門北樓灾。秋七月，始新言黄龍見。八月壬午，大雨震電，水泉涌溢。乙酉，立皇后朱氏。戊子，立子𩅦爲太子，大赦。冬十月，以衛將軍濮陽興爲丞相，廷尉丁密、光禄勳孟宗爲左右御史大夫。休以丞相興及左將軍張布有舊恩，委之以事，布典宫省，興關軍國。休鋭意於典籍，欲畢覽百家之言，尤好射雉，春夏之間常晨出夜還，唯此時舍書。休欲與博士祭酒韋曜、博士盛沖講論道藝，曜、沖素皆切直，布恐入侍，發其陰失，令己不得專，因妄飾説以拒遏之。休答曰：『孤之涉學，群書略遍，所見不少也；其明君闇主，奸臣賊子，古今賢愚成敗之事，無不覽也。今曜等入，但欲與論講書耳，不爲從曜等始更受學也。縱復如此，亦何所損？君特當以曜等恐道臣下奸變之事，以此不欲令入耳。如此之事，孤已自備之，不須曜等然後乃解也。此都無所損，君意特有

所忌故耳。』布得詔陳謝，重自序述，又言懼妨政事。休答曰：『書籍之事，患人不好，好之無傷也。此無所爲非，而君以爲不宜，是以孤有所及耳。政務學業，其流各異，不相妨也。不圖君今日在事，更行此於孤也，良所不取。』布拜表叩頭，休答曰：『聊相開悟耳，何至叩頭乎！如君之忠誠，遠近所知。往者所以相感，今日之巍巍也。《詩》云：「靡不有初，鮮克有終。」終之實難，君其終之。』初休爲王時，布爲左右將督，素見信愛，及至踐阼，厚加寵待，專擅國勢，多行無禮，自嫌瑕短，懼曜、沖言之，故尤患忌。休雖解此旨，心不能悦，更恐其疑懼，竟如布意，廢其講業，不復使沖等入。是歲使察戰到交阯調孔爵、大猪。

六年夏四月，泉陵言黄龍見。五月，交阯郡吏吕興等反，殺太守孫諝。諝先是科郡上手工千餘人送建業，而察戰至，恐復見取，故興等因此扇動兵民，招誘諸夷也。冬十月，蜀以魏見伐來告。十一月癸未，建業石頭小城火，燒西南百八十丈。甲申，使大將軍丁奉督諸軍向魏壽春，將軍留平別詣施績於南郡，議兵所向，將軍丁封、孫異如沔中，皆救蜀。蜀主劉禪降魏問至，然後罷。吕興既殺孫諝，使使如魏，請太守及兵。丞相興建取屯田萬人以爲兵。分武陵爲天門郡。

七年春正月，大赦。二月，鎮軍將軍陸抗、撫軍將軍步協、征西將軍留平、建平太守盛曼，率衆圍蜀巴東守將羅憲。夏四月，魏將新附督王稚浮海入句章，略長吏貲財及男女二百餘口。將軍孫越徼得一船，獲三十人。秋七月，海賊破海鹽，殺司鹽校尉駱秀。使中書郎劉川發兵廬陵。豫章民張節等爲亂，衆萬餘人。魏使將軍胡烈步騎二萬侵西陵，以救羅憲，陸抗等引軍退。復分交州置廣州。壬午，大赦。癸未，休薨，時年三十，謚曰景皇帝。

孫晧字元宗，權孫，和子也，一名彭祖，字晧宗。孫休立，封晧爲烏程侯，遣就國。西湖民景養相晧當大貴，晧陰喜而不敢泄。休薨，是時蜀初亡，而交阯攜叛，國内震懼，貪得長君。左典軍萬彧昔爲烏程令，與晧相善，稱晧才識明斷，是長沙桓王之疇也，又加之好學，奉遵法度，屢言之於丞相濮陽興、左將軍張布。興、布説休妃太后朱，欲以晧爲嗣。朱曰：『我寡婦人，安知社稷之慮，苟吴國無損，宗廟有賴可矣。』於是遂迎立晧，時年二十三。改元，大赦。是歲，於魏咸熙元年也。

元興元年八月，以上大將軍施績、大將軍丁奉爲左右大司馬，張布爲驃騎將軍，加侍中，諸增位班賞，一皆如舊。九月，貶太后爲景皇后，追謚父和曰文皇帝，尊母何爲太后。十月，封休太子𩅦爲豫章王，次子汝南王，次子梁王，次子陳王，立皇后滕氏。晧既得志，粗暴驕盈，多忌諱，好酒色，大小失望。興、布竊悔之。或以譖晧，十一月，誅興、布。十二月，孫休葬定陵。封后父滕牧爲高密侯，舅何洪等三人皆列侯。是歲，魏置交阯太守之郡。晋文帝爲魏相國，遣昔吴壽春城降將徐紹、孫彧銜命齎書，陳事勢利害，以申喻晧。

甘露元年三月，晧遣使隨紹、彧報書曰：『知以高世之才，處宰輔之任，漸導之功，勤亦至矣。孤以不德，階承統緒，思與賢良共濟世道，而以壅隔未有所緣，嘉意允著，深用依依。今遣光禄大夫紀陟、五官中郎將弘璆宣明至懷。』紹行到濡須，召還殺之，徙其家屬建安，始有白紹稱美中國者故也。夏四月，蔣陵言甘露降，於是改年大赦。秋七月，晧逼殺景后朱氏，亡不在正殿，於苑中小屋治

喪，衆知其非疾病，莫不痛切。又送休四子於吳小城，尋復追殺大者二人。九月，從西陵督步闡表，徙都武昌，御史大夫丁固、右將軍諸葛靚鎮建業。陟、瓚至洛，遇晉文帝崩，十一月，乃遣還。皓至武昌，又大赦。以零陵南部爲始安郡，桂陽南部爲始興郡。十二月，晉受禪。

寶鼎元年正月，遣大鴻臚張儼、五官中郎將丁忠弔祭晉文帝。及還，儼道病死。忠說皓曰：『北方守戰之具不設，弋陽可襲而取。』皓訪羣臣，鎮西大將軍陸凱曰：『夫兵不得已而用之耳，且三國鼎立已來，更相侵伐，無歲寧居。今强敵新并巴蜀，有兼土之實，而遣使求親，欲息兵役，不可謂其求援於我。今敵形勢方强，而欲徼幸求勝，未見其利也。』車騎將軍劉纂曰：『天生五才，誰能去兵？譎詐相雄，有自來矣。若其有闕，庸可棄乎？宜遣閒諜，以觀其勢。』皓陰納纂言，且以蜀新平，故不行，然遂自絶。八月，所在言得大鼎，於是改年，大赦。以陸凱爲左丞相，常侍萬彧爲右丞相。冬十月，永安山賊施但等聚衆數千人，劫皓庶弟永安侯謙出烏程，取孫和陵上鼓吹曲蓋。比至建業，衆萬餘人。丁固、諸葛靚逆之於牛屯，大戰，但等敗走。獲謙，謙自殺。分會稽爲東陽郡，分吳、丹楊爲吳興郡。以零陵北部爲邵陵郡。十二月，皓還都建業，衛將軍滕牧留鎮武昌。

二年春，大赦。右丞相萬彧上鎮巴丘。夏六月，起顯明宮，冬十二月，皓移居之。是歲，分豫章、廬陵、長沙爲安成郡。

三年春二月，以左右御史大夫丁固、孟仁爲司徒、司空。秋九月，皓出東關，丁奉至合肥。是歲，遣交州刺史劉俊、前部督脩則等入擊交阯，爲晉將毛炅等所破，皆死，兵散還合浦。

建衡元年春正月，立子瑾爲太子，及淮陽、東平王。冬十月，改年，大赦。十一月，左丞相陸凱卒。遣監軍虞汜、威南將軍薛珝、蒼梧太守陶璜由荆州，監軍李勖、督軍徐存從建安海道，皆就合浦擊交阯。

二年春，萬彧還建業。李勖以建安道不通利，殺導將馮斐，引軍還。三月，天火燒萬餘家，死者七百人。夏四月，左大司馬施績卒。殿中列將何定曰：『少府李勖枉殺馮斐，擅徹軍退還。』勖及徐存家屬皆伏誅。秋九月，何定將兵五千人上夏口獵。都督孫秀奔晉。是歲大赦。

三年春正月晦，皓舉大衆出華里，皓母及妃妾皆行，東觀令華覈等固爭，乃還。是歲，汜、璜破交阯，禽殺晉所置守將，九真、日南皆還屬。大赦，分交阯爲新昌郡。諸將破扶嚴，置武平郡。以武昌督范慎爲太尉。右大司馬丁奉、司空孟仁卒。西苑言鳳凰集，改明年元。

鳳皇元年秋八月，徵西陵督步闡。闡不應，據城降晉。遣樂鄉都督陸抗圍取闡，闡衆悉降。闡及同計數十人皆夷三族。大赦。是歲右丞相萬彧被譴憂死，徙其子弟於廬陵。何定姦穢發聞，伏誅。皓以其惡似張布，追改定名爲布。

二年春三月，以陸抗爲大司馬。司徒丁固卒。秋九月，改封淮陽爲魯，東平爲齊，又封陳留、章陵等九王，凡十一王，王給三千兵。大赦。皓愛妾或使人至市劫奪百姓財物，司市中郎將陳聲，素皓幸臣也，恃皓寵遇，繩之以法。妾以訴皓，皓大怒，假他事燒鋸斷聲頭，投其身於四望之下。是歲，太尉范慎卒。

三年，會稽妖言章安侯奮當爲天子。臨海太守奚熙與會稽太守郭誕書，非論國政。誕但白熙書，不白妖言，送付建安作船。遣三郡督何植收熙，熙發兵自衛，斷絕海道。熙部曲殺熙，送首建業，夷三族。秋七月，遣使者二十五人分至州郡，科出亡叛。大司馬陸抗卒。自改年及是歲，連大疫。分鬱林爲桂林郡。

天册元年，吴郡言掘地得銀，長一尺，廣三分，刻上有年月字，於是大赦，改年。

天璽元年，吴郡言臨平湖自漢末草穢壅塞，今更開通。長老相傳，此湖塞，天下亂，此湖開，天下平。又於湖邊得石函，中有小石，青白色，長四寸，廣二寸餘，刻上作皇帝字，於是改年，大赦。會稽太守車浚、湘東太守張詠不出算緡，就在所斬之，徇首諸郡。秋八月，京下督孫楷降晉。鄱陽言歷陽山石文理成字，凡二十，云『楚九州渚，吴九州都，揚州士，作天子，四世治，太平始』。又吴興陽羡山有空石，長十餘丈，名曰石室，在所表爲大瑞。乃遣兼司徒董朝、兼太常周處至陽羡縣，封禪國山。改明年元，大赦，以協石文。

天紀元年夏，夏口督孫慎出江夏、汝南，燒略居民。初，騶子張俶多所譖白，累遷爲司直中郎將，封侯，甚見寵愛，是歲奸情發聞，伏誅。

二年秋七月，立成紀、宣威等十一王，王給三千兵，大赦。

三年夏，郭馬反。馬本合浦太守脩允部曲督。允轉桂林太守，疾病，住廣州，先遣馬將五百兵至郡安撫諸夷。允死，兵當分給，馬等累世舊軍，不樂離别。皓時又科實廣州户口，馬與部曲將何典、王族、吴述、殷興等因此恐動兵民，合聚人衆，攻殺廣州督虞授。馬自號都督交、廣二州諸軍事、安南將軍，興廣州刺史，述南海太守。典攻蒼梧，族攻始興。八月，以軍師張悌爲丞相，牛渚都督何植爲司徒。執金吾滕循爲司空，未拜，轉鎮南將軍，假節領廣州牧，率萬人從東道討馬，與族遇于始興，未得前。馬殺南海太守劉略，逐廣州刺史徐旗。皓又遣徐陵督陶濬將七千人從西道，命交州牧陶璜部伍所領及合浦、鬱林諸郡兵，當與東西軍共擊馬。

有鬼目菜生工人黄耇家，依緣棗樹，長丈餘，莖廣四寸，厚三分。又有買菜生工人吴平家，高四尺，厚三分，如枇杷形，上廣尺八寸，下莖廣五寸，兩邊生葉緑色。東觀案圖，名鬼目作芝草，買菜作平慮草，遂以耇爲侍芝郎，平爲平慮郎，皆銀印青綬。

冬，晉命鎮東大將軍司馬伷向涂中，安東將軍王渾、揚州刺史周浚向牛渚，建威將軍王戎向武昌，平南將軍胡奮向夏口，鎮南將軍杜預向江陵，龍驤將軍王濬、廣武將軍唐彬浮江東下，太尉賈充爲大都督，量宜處要，盡軍勢之中。陶濬至武昌，聞北軍大出，停駐不前。

初，皓每宴會群臣，無不咸令沈醉。置黄門郎十人，特不與酒，侍立終日，爲司過之吏。宴罷之後，各奏其闕失，迕視之咎，謬言之愆，罔有不舉。大者即加威刑，小者輒以爲罪。後宮數千，而採擇無已。又激水入宫，宫人有不合意者，輒殺流之。或剥人之面，或鑿人之眼。岑昬險諛貴幸，致位九列，好興功役，衆所患苦。是以上下離心，莫爲皓盡力，蓋積惡已極，不復堪命故也。

四年春，立中山、代等十一王，大赦。濬、彬所至，則土崩瓦解，靡有禦者。預又斬江陵督伍延，

渾復斬丞相張悌、丹楊太守沈瑩等，所在戰克。

三月壬寅，殿中親近數百人叩頭請晧殺岑昏，晧惶憒從之。

戊辰，陶濬從武昌還，即引見，問水軍消息，對曰：『蜀船皆小，今得二萬兵，乘大船戰，自足擊之。』於是合衆，授濬節鉞。明日當發，其夜衆悉逃走。而王濬順流將至，司馬伷、王渾皆臨近境。晧用光禄勳薛瑩、中書令胡沖等計，分遣使奉書於濬、伷、渾曰：『昔漢室失統，九州皆分裂，先人因時，略有江南，遂分阻山川，與魏乖隔。今大晉龍興，德覆四海。闇劣偷安，未喻天命。至于今者，猥煩六軍，衡蓋路次，遠臨江渚，舉國震惶，假息漏刻。敢緣天朝含弘光大，謹遣私署太常張夔等奉所佩印綬，委質請命，惟垂信納，以濟元元。』

壬申，王濬最先到，於是受晧之降，解縛焚櫬，延請相見。伷以晧致印綬於己，遣使送晧。晧舉家西遷，以太康元年五月丁亥集于京邑。四月甲申，詔曰：『孫晧窮迫歸降，前詔待之以不死，今晧垂至，意猶愍之，其賜號爲歸命侯。進給衣服車乘，田三十頃，歲給穀五千斛，錢五十萬，絹五百匹，綿五百斤。』晧太子瑾拜中郎，諸子爲王者，拜郎中。五年，晧死于洛陽。

評曰：孫亮童孺而無賢輔，其替位不終，必然之勢也。休以舊愛宿恩，任用興、布，不能拔進良才，改弦易張，雖志善好學，何益救亂乎？又使既廢之亮不得其死，友于之義薄矣。晧之淫刑所濫，隕斃流黜者，蓋不可勝數。是以群下人人惴恐，皆日日以冀，朝不謀夕。其熒惑、巫祝，交致祥瑞，以爲至急。昔舜、禹躬稼，至聖之德，猶或矢誓衆臣，予違女弼，或拜昌言，常若不及。況晧凶頑，肆行殘暴，忠諫者誅，讒諛者進，虐用其民，窮淫極侈，宜腰首分離，以謝百姓。既蒙不死之詔，復加歸命之寵，豈非曠蕩之恩，過厚之澤也哉！

三國志卷四十九

吴書四

劉繇太史慈士燮傳第四

劉繇字正禮，東萊牟平人也。齊孝王少子封牟平侯，子孫家焉。繇伯父寵，爲漢太尉。繇兄岱，字公山，歷位侍中，兗州刺史。

繇年十九，從父韙爲賊所劫質，繇篡取以歸，由是顯名。舉孝廉，爲郎中，除下邑長。時郡守以貴戚托之，遂棄官去。州辟部濟南，濟南相中常侍子，貪穢不脩，繇奏免之。平原陶丘洪薦繇，欲令舉茂才。刺史曰：『前年舉公山，奈何復舉正禮乎？』洪曰：『若明使君用公山於前，擢正禮於後，所謂御二龍於長塗，騁騏驥於千里，不亦可乎！』會辟司空掾，除侍御史，不就。避亂淮浦，詔書以爲揚州刺史。時袁術在淮南，繇畏憚，不敢之州。欲南渡江，吴景、孫賁迎置曲阿。術圖爲僭逆，攻没諸郡縣。繇遣樊能、張英屯江邊以拒之。以景、賁術所授用，乃迫逐使去。於是術乃自置揚州刺史，與景、賁并力攻英、能等，歲餘不下。漢命加繇爲牧，振武將軍，衆數萬人。孫策東渡，破英、能等。繇奔丹徒，遂泝江南保豫章，駐彭澤。笮融先至，殺太守朱晧，入居郡中。繇進討融，爲融所破，更復招合屬縣，攻破融。融敗走入山，爲民所殺，繇尋病卒，時年四十二。

笮融者，丹楊人，初聚衆數百，往依徐州牧陶謙。謙使督廣陵、彭城運漕，遂放縱擅殺，坐斷三郡委輸以自入。乃大起浮圖祠，以銅爲人，黄金塗身，衣以錦采，垂銅槃九重，下爲重樓閣道，可容

三千餘人，悉課讀佛經，令界内及旁郡人有好佛者聽受道，復其他役以招致之，由此遠近前後至者五千餘人户。每浴佛，多設酒飯，布席於路，經數十里，民人來觀及就食且萬人，費以巨億計。曹公攻陶謙，徐土騷動，融將男女萬口，馬三千匹，走廣陵，廣陵太守趙昱待以賓禮。先是，彭城相薛禮爲陶謙所偪，屯秣陵。融利廣陵之衆，因酒酣殺昱，放兵大略，因載而去。過殺禮，然後殺晧。

後策西伐江夏，還過豫章，收載繇喪，善遇其家。王朗遺策書曰：『劉正禮昔初臨州，未能自達，實賴尊門爲之先後，用能濟江成治，有所處定。踐境之禮，感分結意，情在終始。後以袁氏之嫌，稍更乖剌。更以同盟，還爲讎敵，原其本心，實非所樂。康寧之後，常願渝平更成，復踐宿好。一爾分離，款意不昭，奄然殂隕，可爲傷恨！知敦以厲薄，德以報怨，收骨育孤，哀亡愍存，捐既往之猜，保六尺之托，誠深恩重分，美名厚實也。昔魯人雖有齊怨，不廢喪紀，《春秋》善之，謂之得禮，誠良史之所宜藉，鄉校之所歎聞。正禮元子，致有志操，想必有以殊異。威盛刑行，施之以恩，不亦優哉！』

繇長子基，字敬輿，年十四，居繇喪盡禮，故吏餽餉，皆無所受。姿容美好，孫權愛敬之。權爲驃騎將軍，辟東曹掾，拜輔義校尉、建忠中郎將。權爲吴王，遷基大農。權嘗宴飲，騎都尉虞翻醉酒犯忤，權欲殺之，威怒甚盛，由基諫争，翻以得免。權大暑時，嘗於船中宴飲，於船樓上值雷雨，權以蓋自覆，又命覆基，餘人不得也。其見待如此。徙郎中令。權稱尊號，改爲光禄勳，分平尚書事。年四十九卒。後權爲子霸納基女，賜第一區，四時寵賜，與全、張比。基二弟，鑠、尚，皆騎都尉。

太史慈字子義，東萊黃人也。少好學，仕郡奏曹史。會郡與州有隙，曲直未分，以先聞者爲善。時州章已去，郡守恐後之，求可使者。慈年二十一，以選行，晨夜取道，到洛陽，詣公車門，見州吏始欲求通。慈問曰：『君欲通章邪？』吏曰：『然。』問：『章安在？』曰：『車上。』慈曰：『章題署得無誤邪？取來視之。』吏殊不知其東萊人也，因爲取章。慈已先懷刀，便截敗之。吏踴躍大呼，言『人壞我章』！慈將至車閒，與語曰：『向使君不以章相與，吾亦無因得敗之，是爲吉凶禍福等耳，吾不獨受此罪。豈若默然俱出去，可以存易亡，無事俱就刑辟。』吏言：『君爲郡敗吾章，已得如意，欲復亡爲？』慈答曰：『初受郡遣，但來視章通與未耳。吾用意太過，乃相敗章。今還，亦恐以此見譴怒，故俱欲去爾。』吏然慈言，即日俱去。慈既與出城，因遁還通郡章。州家聞之，更遣吏通章，有司以格章之故不復見理，州受其短。由是知名，而爲州家所疾，恐受其禍，乃避之遼東。

北海相孔融聞而奇之，數遣人訊問其母，并致餉遺。時融以黃巾寇暴，出屯都昌，爲賊管亥所圍。慈從遼東還，母謂慈曰：『汝與孔北海未嘗相見，至汝行後，贍恤殷勤，過於故舊，今爲賊所圍，汝宜赴之。』慈留三日，單步徑至都昌。時圍尚未密，夜伺閒隙，得入見融，因求兵出斫賊。融不聽，欲待外救。未有至者，而圍日偪。融欲告急平原相劉備，城中人無由得出，慈自請求行。融曰：『今賊圍甚密，衆人皆言不可，卿意雖壯，無乃實難乎？』慈對曰：『昔府君傾意於老母，老母感遇，遣慈赴府君之急，固以慈有可取，而來必有益也。今衆人言不可，慈亦言不可，豈府君愛顧之義，老母遣慈之意邪？事已急矣，願府君無疑。』融乃然之。於是嚴行蓐食，須明，便帶鞬攝弓上馬，將兩騎自隨，各作一的持之，開門直出。外圍下左右人並驚駭，兵馬互出。慈引馬至城下塹內，植所持的各一，出射之，射之畢，徑入門。明晨復如此，圍下人或起或臥，慈復植的，射之畢，復入門。明晨復出如此，無復起者，於是下鞭馬直突圍中馳去。比賊覺知，慈行已過，又射殺數人，皆應弦而倒，故無敢追者。遂到平原，説備曰：『慈，東萊之鄙人也，與孔北海親非骨肉，比非鄉黨，特以名志相好，有分災共患之義。今管亥暴亂，北海被圍，孤窮無援，危在旦夕。以君有仁義之名，能救人之急，故北海區區，延頸恃仰，使慈冒白刃，突重圍，從萬死之中自托於君，惟君所以存之。』備斂容答曰：『孔北海知世閒有劉備邪！』即遣精兵三千人隨慈。賊聞兵至，解圍散走。融既得濟，益奇貴慈，曰：『卿吾之少友也。』事畢，還啓其母，母曰：『我喜汝有以報孔北海也。』

揚州刺史劉繇與慈同郡，慈自遼東還，未與相見，暫渡江到曲阿見繇，未去，會孫策至。或勸繇可以慈爲大將軍，繇曰：『我若用子義，許子將不當笑我邪？』但使慈偵視輕重。時獨與一騎卒遇策。策從騎十三，皆韓當、宋謙、黃蓋輩也。慈便前鬭，正與策對。策刺慈馬，而擥得慈項上手戟，慈亦得策兜鍪。會兩家兵騎並各來赴，於是解散。

慈當與繇俱奔豫章，而遁於蕪湖，亡入山中，稱丹楊太守。是時，策已平定宣城以東，惟涇以西六縣未服。慈因進住涇縣，立屯府，大爲山越所附。策躬自攻討，遂見囚執。策即解縛，捉其手曰：『寧識神亭時邪？若卿爾時得我云何？』慈曰：『未可量也。』策大笑曰：『今日之事，當與卿共之。』即署門下督，還吳授兵，拜折衝中郎將。後劉繇亡於豫章，士衆萬餘人未有所附，策命慈往撫

安焉。左右皆曰：『慈必北去不還。』策曰：『子義捨我，當復與誰？』餞送昌門，把腕別曰：『何時能還？』答曰：『不過六十日。』果如期而反。

劉表從子磐，驍勇，數爲寇於艾、西安諸縣。策於是分海昏、建昌左右六縣，以慈爲建昌都尉，治海昏，并督諸將拒磐。磐絕迹不復爲寇。

慈長七尺七寸，美鬚髯，猨臂善射，弦不虛發。嘗從策討麻保賊，賊於屯裏緣樓上行詈，以手持樓棼，慈引弓射之，矢貫手著棼，圍外萬人莫不稱善。其妙如此。曹公聞其名，遺慈書，以篋封之，發省無所道，而但貯當歸。孫權統事，以慈能制磐，遂委南方之事。年四十一，建安十一年卒。子享，官至越騎校尉。

士燮字威彥，蒼梧廣信人也。其先本魯國汶陽人，至王莽之亂，避地交州。六世至燮父賜，桓帝時爲日南太守。燮少游學京師，事潁川劉子奇，治《左氏春秋》。察孝廉，補尚書郎，公事免官。父賜喪闋後，舉茂才，除巫令，遷交阯太守。

弟壹，初爲郡督郵。刺史丁宮徵還京都，壹侍送勤恪，宮感之，臨別謂曰：『刺史若待罪三事，當相辟也。』後宮爲司徒，辟壹。比至，宮已免，黃琬代爲司徒，甚禮遇壹。董卓作亂，壹亡歸鄉里。交州刺史朱符爲夷賊所殺，州郡擾亂。燮乃表壹領合浦太守，次弟徐聞令䵋領九真太守，䵋弟武，領南海太守。

燮體器寬厚，謙虛下士，中國士人往依避難者以百數。耽玩《春秋》，爲之注解。陳國袁徽與尚

書令荀彧書曰：『交阯士府君既學問優博，又達於從政，處大亂之中，保全一郡，二十餘年疆埸無事，民不失業，羈旅之徒，皆蒙其慶，雖竇融保河西，曷以加之？官事小闋，輒玩習書傳，《春秋左氏傳》尤簡練精微，吾數以咨問傳中諸疑，皆有師說，意思甚密。又《尚書》兼通古今，大義詳備。聞京師古今之學，是非忿爭，今欲條《左氏》、《尚書》長義上之。』其見稱如此。

燮兄弟並爲列郡，雄長一州，偏在萬里，威尊無上。出入鳴鍾磬，備具威儀，笳簫鼓吹，車騎滿道，胡人夾轂焚燒香者常有數十。妻妾乘輜軿，子弟從兵騎，當時貴重，震服百蠻，尉他不足逾也。武先病没。

朱符死後，漢遣張津爲交州刺史，津後又爲其將區景所殺，而荊州牧劉表遣零陵賴恭代津。是時蒼梧太守史璜死，表又遣吳巨代之，與恭俱至。漢聞張津死，賜燮璽書曰：『交州絕域，南帶江海，上恩不宣，下義壅隔，知逆賊劉表又遣賴恭闚看南土，今以燮爲綏南中郎將，董督七郡，領交阯太守如故。』後燮遣吏張旻奉貢詣京都，是時天下喪亂，道路斷絕，而燮不廢貢職，特復下詔拜安遠將軍，封龍度亭侯。

後巨與恭相失，舉兵逐恭，恭走還零陵。建安十五年，孫權遣步騭爲交州刺史。騭到，燮率兄弟奉承節度。而吳巨懷異心，騭斬之。權加燮爲左將軍。建安末年，燮遣子廞入質，權以爲武昌太守，燮、壹諸子在南者，皆拜中郎將。燮又誘導益州豪姓雍闓等，率郡人民使遙東附，權益嘉之，遷衛將軍，封龍編侯，弟壹偏將軍，都鄉侯。燮每遣使詣權，致雜香細葛，輒以千數，明珠、大貝、流離、翡

翠、玳瑁、犀、象之珍，奇物異果，蕉、邪、龍眼之屬，無歲不至。壹時貢馬凡數百匹。權輒爲書，厚加寵賜，以答慰之。燮在郡四十餘歲，黄武五年，年九十卒。

權以交阯縣遠，乃分合浦以北爲廣州，吕岱爲刺史；交阯以南爲交州，戴良爲刺史。又遣陳時代燮爲交阯太守。岱留南海，良與時俱前行到合浦，而燮子徽自署交阯太守，發宗兵拒良。良留合浦。交阯桓鄰，燮舉吏也，叩頭諫徽使迎良，徽怒，笞殺鄰。鄰兄治子發又合宗兵擊徽，徽閉門城守，治等攻之數月不能下，乃約和親，各罷兵還。而吕岱被詔誅徽，自廣州將兵晝夜馳入，過合浦，與良俱前。壹子中郎將匡與岱有舊，岱署匡師友從事，先移書交阯，告喻禍福，又遣匡見徽，説令服罪，雖失郡守，保無他憂。岱尋匡後至，徽兄祗，弟幹、頌等六人肉袒奉迎。岱謝令復服，前至郡下。明旦早施帳幔，請徽兄弟以次入，賓客滿坐。岱起，擁節讀詔書，數徽罪過，左右因反縛以出，即皆伏誅，傳首詣武昌。壹、䵋、匡後出，權原其罪，及燮質子廞，皆免爲庶人。數歲，壹、䵋坐法誅。廞病卒，無子，妻寡居，詔在所月給俸米，賜錢四十萬。

評曰：劉繇藻厲名行，好尚臧否，至於擾攘之時，據萬里之土，非其長也。太史慈信義篤烈，有古人之分。士燮作守南越，優游終世，至子不慎，自貽凶咎，蓋庸才玩富貴而恃阻險，使之然也。

三國志卷五十

吴書五

妃嬪傳第五

孫破虜吴夫人，吴主權母也。本吴人，徙錢唐，早失父母，與弟景居。孫堅聞其才貌，欲娶之。吴氏親戚嫌堅輕狡，將拒焉，堅甚以慚恨。夫人謂親戚曰：『何愛一女以取禍乎？如有不遇，命也。』於是遂許爲婚，生四男一女。

景常隨堅征伐有功，拜騎都尉。袁術上景領丹楊太守，討故太守周昕，遂據其郡。孫策與孫河、吕範依景，合衆共討涇縣山賊祖郎，郎敗走。會爲劉繇所迫，景復北依術，術以爲督軍中郎將，與孫賁共討樊能、于麋於横江，又擊笮融、薛禮於秣陵。時策被創牛渚，降賊復反，景攻討，盡禽之。從討劉繇，繇奔豫章，策遣景、賁到壽春報術。術方與劉備爭徐州，以景爲廣陵太守。術後僭號，策以書喻術，術不納，便絶江津，不與通，使人告景。景即委郡東歸，策復以景爲丹楊太守。漢遣議郎王誧銜命南行，表景爲揚武將軍，領郡如故。

及權少年統業，夫人助治軍國，甚有補益。建安七年，臨薨，引見張昭等，屬以後事，合葬高陵。八年，景卒官，子奮授兵爲將，封新亭侯，卒。子安嗣，安坐黨魯王霸死。奮弟祺嗣，封都亭侯，卒。子纂嗣。纂妻即滕胤女也，胤被誅，并遇害。

吴主權謝夫人，會稽山陰人也。父煚，漢尚書郎、徐令。權母吴，爲權聘以爲妃，愛幸有寵。後權納姑孫徐氏，欲令謝下之，謝不肯，由是失志，早卒。後十餘年，弟承拜五官郎中，稍遷長沙東部都尉、武陵太守，撰《後漢書》百餘卷。

吴主權徐夫人，吴郡富春人也。祖父真，與權父堅相親，堅以妹妻真，生琨。琨少仕州郡，漢末擾亂，去吏，隨堅征伐有功，拜偏將軍。堅薨，隨孫策討樊能、于麋等於横江，擊張英於當利口，而船少，欲駐軍更求。琨母時在軍中，謂琨曰：『恐州家多發水軍來逆人，則不利矣，如何可駐邪？宜伐蘆葦以爲泭，佐船渡軍。』琨具啓策，策即行之，衆悉俱濟，遂破英，擊走笮融、劉繇，事業克定。策表琨領丹楊太守，會吴景委廣陵來東，復爲丹楊守，琨以督軍中郎將領兵，從破廬江太守李術，封廣德侯，遷平虜將軍。後從討黄祖，中流矢卒。

琨生夫人，初適同郡陸尚。尚卒，權爲討虜將軍在吴，聘以爲妃，使母養子登。後權遷移，以夫人妒忌，廢處吴。積十餘年，權爲吴王及即尊號，登爲太子，群臣請立夫人爲后，權意在步氏，卒不許。後以疾卒。兄矯，嗣父琨侯，討平山越，拜偏將軍，先夫人卒，無子。弟祚襲封，亦以戰功至蕪湖督、平魏將軍。

吴主權步夫人，臨淮淮陰人也，與丞相騭同族。漢末，其母携將徙廬江，廬江爲孫策所破，皆東渡江，以美麗得幸於權，寵冠後庭。生二女，長曰魯班，字大虎，前配周瑜子循，後配全琮；少曰魯育，字小虎，前配朱據，後配劉纂。

夫人性不妒忌，多所推進，故久見愛待。權爲王及帝，意欲以爲后，而群臣議在徐氏，權依違者

十餘年，然宮內皆稱皇后，親戚上疏稱中宮。及薨，臣下緣權指，請追正名號，乃贈印綬，策命曰：『惟赤烏元年閏月戊子，皇帝曰：嗚呼皇后，惟后佐命，共承天地。虔恭夙夜，與朕均勞。內教脩整，禮義不愆。寬容慈惠，有淑懿之德。民臣縣望，遠近歸心。朕以世難未夷，大統未一，緣后雅志，每懷謙損。是以于時未授名號，亦必謂后降年有永，永與朕躬對揚天休。不寤奄忽，大命近止。朕恨本意不早昭顯，傷后殂逝，不終天祿。愍悼之至，痛于厥心。今使使持節丞相醴陵侯雍，奉策授號，配食先后。魂而有靈，嘉其寵榮。嗚呼哀哉！』葬於蔣陵。

吳主權王夫人，琅邪人也。夫人以選入宮，黃武中得幸，生和，寵次步氏。步氏薨後，和立爲太子，權將立夫人爲后，而全公主素憎夫人，稍稍譖毀。及權寢疾，言有喜色，由是權深責怒，以憂死。和子晧立，追尊夫人曰大懿皇后，封三弟皆列侯。

吳主權王夫人，南陽人也，以選入宮，嘉禾中得幸，生休。及和爲太子，和母貴重，諸姬有寵者，皆出居外。夫人出公安，卒，因葬焉。休即位，遣使追尊曰敬懷皇后，改葬敬陵。王氏無後，封同母弟文雍爲亭侯。

吳主權潘夫人，會稽句章人也。父爲吏，坐法死。夫人與姊俱輸織室，權見而異之，召充後宮。得幸有娠，夢有以龍頭授己者，己以蔽膝受之，遂生亮。赤烏十三年，亮立爲太子，請出嫁夫人之姊，權聽許之。明年，立夫人爲皇后。性險妒容媚，自始至卒，譖害袁夫人等甚衆。權不豫，夫人使問中書令孫弘呂后專制故事。侍疾疲勞，因以羸疾，諸宮人伺其昏卧，共縊殺之，託言中惡。後事泄，坐死者六七人。權尋薨，合葬蔣陵。孫亮即位，以夫人姊婿譚紹爲騎都尉，授兵。亮廢，紹與家屬送本郡廬陵。

孫亮全夫人，全尚女也。從祖母公主愛之，每進見輒與俱。及潘夫人母子有寵，全主自以與孫和母有隙，乃勸權爲潘氏男亮納夫人，亮遂爲嗣。夫人立爲皇后，以尚爲城門校尉，封都亭侯，代滕胤爲太常、衛將軍，進封永平侯，録尚書事。時全氏侯有五人，並典兵馬，其餘爲侍郎、騎都尉，宿衛左右，自吳興，外戚貴盛莫及。及魏大將諸葛誕以壽春來附，而全懌、全端、全禕、全儀等並因此際降魏，全熙謀泄見殺，由是諸全衰弱。會孫綝廢亮爲會稽王，後又黜爲候官侯，夫人隨之國，居候官，尚將家屬徙零陵，追見殺。

孫休朱夫人，朱據女，休姊公主所生也。赤烏末，權爲休納以爲妃。休爲琅邪王，隨居丹陽。建興中，孫峻專政，公族皆患之。全尚妻即峻姊，故惟全主祐焉。初，孫和爲太子時，全主譖害王夫人，欲廢太子，立魯王，朱主不聽，由是有隙。五鳳中，孫儀謀殺峻，事覺被誅。全主因言朱主與儀同謀，峻枉殺朱主。休懼，遣夫人還建業，執手泣別。既至，峻遣還休。太平中，孫亮知朱主爲全主所害，問朱主死意？全主懼曰：『我實不知，皆據二子熊、損所白。』亮殺熊、損。損妻是峻妹也，孫綝益忌亮，遂廢亮，立休。永安五年，立夫人爲皇后。休卒，群臣尊夫人爲皇太后。孫晧即位月餘，貶爲景皇后，稱安定宮。甘露元年七月，見逼薨，合葬定陵。

孫和何姬，丹楊句容人也。父遂，本騎士。孫權嘗游幸諸營，而姬觀於道中，權望見異之，命宦

者召入，以賜子和。生男，權喜，名之曰彭祖，即晧也。太子和既廢，後爲南陽王，居長沙。孫亮即位，孫峻輔政。峻素媚事全主，全主與和母有隙，遂勸峻徙和居新都，遣使賜死，嫡妃張氏亦自殺。何姬曰：『若皆從死，誰當養孤？』遂拊育晧，及其三弟。晧即位，尊和爲昭獻皇帝，何姬爲昭獻皇后，稱升平宮，月餘，進爲皇太后。封弟洪永平侯，蔣溧陽侯，植宣城侯。洪卒，子邈嗣，爲武陵監軍，爲晋所殺。植官至大司徒。吳末昏亂，何氏驕僭，子弟橫放，百姓患之。故民譌言『晧久死，立者何氏子』云。

孫晧滕夫人，故太常胤之族女也。胤夷滅，夫人父牧，以疏遠徙邊郡。孫休即位，大赦，得還，以牧爲五官中郎。晧既封烏程侯，聘牧女爲妃。晧即位，立爲皇后，封牧高密侯，拜衞將軍，録尚書事。後朝士以牧尊戚，頗推令諫争。而夫人寵漸衰，晧滋不悦，晧母何恒左右之。又太史言，於運曆，后不可易，晧信巫覡，故得不廢，常供養升平宮。牧見遣居蒼梧郡，雖爵位不奪，其實裔也，遂道路憂死。長秋官僚，備員而已，受朝賀表疏如故。而晧内諸寵姬，佩皇后璽紱者多矣。天紀四年，隨晧遷于洛陽。

評曰：《易》稱『正家而天下定』。《詩》云：『刑于寡妻，至于兄弟，以御于家邦。』誠哉，是言也！遠觀齊桓，近察孫權，皆有識士之明，傑人之志，而嫡庶不分，閨庭錯亂，遺笑古今，殃流後嗣。由是論之，惟以道義爲心、平一爲主者，然後克免斯累邪！

三國志卷五十一

吳書六

宗室傳第六

孫靜字幼臺，堅季弟也。堅始舉事，靜糾合鄉曲及宗室五六百人以爲保障，衆咸附焉。策破劉繇，定諸縣，進攻會稽，遣人請靜，靜將家屬與策會于錢唐。是時太守王朗拒策於固陵，策數度水戰，不能克。靜説策曰：『朗負阻城守，難可卒拔。查瀆南去此數十里，而道之要徑也，宜從彼據其內，所謂攻其無備、出其不意者也。吾當自帥衆爲軍前隊，破之必矣。』策曰：『善。』乃詐令軍中曰：『頃連雨水濁，兵飲之多腹痛，令促具甖缶數百口澄水。』至昏暮，羅以然火誑朗，便分軍夜投查瀆道，襲高遷屯。朗大驚，遣故丹楊太守周昕等帥兵前戰。策破昕等，斬之，遂定會稽。表拜靜爲奮武校尉，欲授之重任，靜戀墳墓宗族，不樂出仕，求留鎮守。策從之。權統事，就遷昭義中郎將，終於家。有五子，暠、瑜、皎、奐、謙。暠三子：綽、超、恭。超爲偏將軍。恭生峻。綽生綝。

瑜字仲異，以恭義校尉始領兵衆。是時賓客諸將多江西人，瑜虛心綏撫，得其歡心。建安九年，領丹楊太守，爲衆所附，至萬餘人。加綏遠將軍。十一年，與周瑜共討麻、保二屯，破之。後從權拒曹公於濡須，權欲交戰，瑜説權持重，權不從，軍果無功。遷奮威將軍，領郡如故，自溧陽徙屯牛渚。瑜以永安人饒助爲襄安長，無錫人顏連爲居巢長，使招納廬江二郡，各得降附。濟陰人馬普篤學好古，瑜厚禮之，使二府將吏子弟數百人就受業，遂立學官，臨饗講肄。是時諸將皆以軍務爲事，而瑜好樂墳典，雖在戎旅，誦聲不絕。年三十九，建安二十年卒。瑜五子：彌、熙、燿、曼、紘。曼至將軍，

封侯。

孫皎字叔朗，始拜護軍校尉，領衆二千餘人。是時曹公數出濡須，皎每赴拒，號爲精鋭。遷都護征虜將軍，代程普督夏口。黃蓋及兄瑜卒，又并其軍。賜沙羨、雲杜、南新市、竟陵爲奉邑，自置長吏。輕財能施，善於交結，與諸葛瑾至厚，委廬江劉靖以得失，江夏李允以衆事，廣陵吳碩、河南張梁以軍旅，而傾心親待，莫不自盡。皎嘗遣兵候獲魏邊將吏美女以進皎，皎更其衣服送還之，下令曰：『今所誅者曹氏，其百姓何罪？自今以往，不得擊其老弱。』由是江淮間多歸附者。嘗以小故與甘寧忿爭，或以諫寧，寧曰：『臣子一例，征虜雖公子，何可專行侮人邪！吾值明主，但當輸效力命，以報所天，誠不能隨俗屈曲矣。』權聞之，以書讓皎曰：『自吾與北方爲敵，中間十年，初時相持年小，今者且三十矣。孔子言「三十而立」，非但謂五經也。授卿以精兵，委卿以大任，都護諸將於千里之外，欲使如楚任昭奚恤，揚威於北境，非徒相使逞私志而已。近聞卿與甘興霸飲，因酒發作，侵陵其人，其人求屬呂蒙督中。此人雖粗豪，有不如人意時，然其較略大丈夫也。吾親之者，非私之也。我親愛之，卿疏憎之；卿所爲每與吾違，其可久乎？夫居敬而行簡，可以臨民；愛人多容，可以得衆。二者尚不能知，安可董督在遠，禦寇濟難乎？卿行長大，特受重任，上有遠方瞻望之視，下有部曲朝夕從事，何可恣意有盛怒邪？人誰無過，貴其能改，宜追前愆，深自咎責。今故煩諸葛子瑜重宣吾意。臨書摧愴，心悲泪下。』皎得書，上疏陳謝，遂與寧結厚。後呂蒙當襲南郡，

權欲令皎與蒙爲左右部大督，蒙説權曰：『若至尊以征虜能，宜用之；以蒙能，宜用蒙。昔周瑜、程普爲左右部督，共攻江陵，雖事決於瑜，普自恃久將，且俱是督，遂共不睦，幾敗國事，此目前之戒也。』權寤，謝蒙曰：『以卿爲大督，命皎爲後繼。』禽關羽，定荆州，皎有力焉。建安二十四年卒。權追録其功，封子胤爲丹楊侯。胤卒，無子。弟晞嗣，領兵，有罪自殺，國除。弟咨、彌、儀皆將軍，封侯。咨羽林督，儀無難督。咨爲滕胤所殺，儀爲孫峻所害。

孫奐字季明。兄皎既卒，代統其衆，以揚武中郎將領江夏太守。在事一年，遵皎舊迹，禮劉靖、李允、吳碩、張梁及江夏閭舉等，並納其善。奐訥於造次而敏於當官，軍民稱之。黄武五年，權攻石陽，奐以地主，使所部將軍鮮于丹帥五千人先斷淮道，自帥吳碩、張梁五千人爲軍前鋒，降高城，得三將。大軍引還，權詔使在前住，駕過其軍，見奐軍陳整齊，權嘆曰：『初吾憂其遲鈍，今治軍，諸將少能及者，吾無憂矣。』拜揚威將軍，封沙羨侯。吳碩、張梁皆裨將軍，賜爵關内侯。奐亦愛樂儒生，復命部曲子弟就業，後仕進朝廷者數十人。年四十，嘉禾三年卒。子承嗣，以昭武中郎將代統兵，領郡。赤烏六年卒，無子，封承庶弟壹奉奐後，襲業爲將。孫峻之誅諸葛恪也，壹與全熙、施績攻恪弟公安督融，融自殺。壹從鎮南遷鎮軍，假節督夏口。及孫綝誅滕胤、吕據，據、胤皆壹之妹夫也，壹弟封又知胤、據謀，自殺。綝遣朱異潛襲壹。異至武昌，壹知其攻己，率部曲千餘口過將胤妻奔魏。魏以壹爲車騎將軍、儀同三司，封吳侯，以故主芳貴人邢氏妻之。邢美色妒忌，下不堪命，遂共殺壹及邢氏。壹入魏三年死。

孫賁字伯陽。父羌字聖臺，堅同産兄也。賁早失二親，弟輔嬰孩，賁自贍育，友愛甚篤。爲郡督郵守長。堅於長沙舉義兵，賁去吏從征伐。堅薨，賁攝帥餘衆，扶送靈柩。後袁術徙壽春，賁又依之。術從兄紹用會稽周昂爲九江太守，紹與術不協，術遣賁攻破昂於陰陵。術表賁領豫州刺史，轉丹楊都尉，行征虜將軍，討平山越。爲揚州刺史劉繇所迫逐，因將士衆還住歷陽。頃之，術復使賁與吳景共擊樊能、張英等，未能拔。及策東渡，助賁、景破英、能等，遂進擊劉繇。繇走豫章。策遣賁、景還壽春報術，值術僭號，署置百官，除賁九江太守。賁不就，棄妻孥還江南。時策已平吳、會二郡，賁與策征廬江太守劉勳、江夏太守黄祖，軍旋，聞繇病死，過定豫章，上賁領太守，後封都亭侯。建安十三年，使者劉隱奉詔拜賁爲征虜將軍，領郡如故。在官十一年卒。子鄰嗣。

鄰年九歲，代領豫章，進封都鄉侯。在郡垂二十年，討平叛賊，功績脩理。召還武昌，爲繞帳督。時太常潘濬掌荆州事，重安長陳留舒燮有罪下獄，濬嘗失燮，欲寘之於法。論者多爲有言，濬猶不釋。鄰謂濬曰：『舒伯膺兄弟争死，海内義之，以爲美譚，仲膺又有奉國舊意。今君殺其子弟，若天下一統，青蓋北巡，中州士人必問仲膺繼嗣，答者云潘承明殺燮，於事何如？』濬意即解，燮用得濟。鄰遷夏口沔中督、威遠將軍，所居任職。赤烏十二年卒。子苗嗣。苗弟旅及叔父安、熙、績，皆歷列位。

孫輔字國儀，賁弟也。以揚武校尉佐孫策平三郡。策討丹楊七縣，使輔西屯歷陽以拒袁術，并招誘餘民，鳩合遺散。又從策討陵陽，生得祖郎等。策西襲廬江太守劉勳，輔隨從，身先士卒，有功。

策上輔爲廬陵太守，撫定屬城，分置長吏。遷平南將軍，假節領交州刺史。遣使與曹公相聞，事覺，權幽繫之。數歲卒。子興、昭、偉、昕，皆歷列位。

孫翊字叔弼，權弟也，驍悍果烈，有兄策風。太守朱治舉孝廉，司空辟。建安八年，以偏將軍領丹楊太守，時年二十。後卒爲左右邊鴻所殺，鴻亦即誅。

子松爲射聲校尉、都鄉侯。黄龍三年卒。蜀丞相諸葛亮與兄瑾書曰：『既受東朝厚遇，依依於子弟。又子喬良器，爲之惻愴。見其所與亮器物，感用流涕。』其悼松如此，由亮養子喬咨述故云。

孫匡字季佐，翊弟也。舉孝廉茂才，未試用，卒，時年二十餘。子泰，曹氏之甥也，爲長水校尉。嘉禾三年，從權圍新城，中流矢死。泰子秀爲前將軍、夏口督。秀公室至親，握兵在外，晧意不能平。建衡二年，晧遣何定將五千人至夏口獵。先是，民間僉言秀當見圖，而定遠獵，秀遂驚，夜將妻子親兵數百人奔晉。晉以秀爲驃騎將軍，儀同三司，封會稽公。

孫韶字公禮。伯父河，字伯海，本姓俞氏，亦吳人也。孫策愛之，賜姓爲孫，列之屬籍。後爲將軍，屯京城。

初，孫權殺吳郡太守盛憲，憲故孝廉嬀覽、戴員亡匿山中，孫翊爲丹楊，皆禮致之。覽爲大都督兵，員爲郡丞。及翊遇害，河馳赴宛陵，責怒覽、員，以不能全翊，令使奸變得施。二人議曰：『伯海與將軍疏遠，而責我乃耳。討虜若來，吾屬無遺矣。』遂殺河，使人北迎揚州刺史劉馥，令住歷陽，以丹楊應之。會翊帳下徐元、孫高、傅嬰等殺覽、員。

韶年十七，收河餘衆，繕治京城，起樓櫓，脩器備以禦敵。權聞亂，從椒丘還，過定丹楊，引軍歸吳。夜至京城下營，試攻驚之，兵皆乘城傳檄備警，讙聲動地，頗射外人，權使曉喻乃止。明日見韶，甚器之，即拜承烈校尉，統河部曲，食曲阿、丹徒二縣，自置長吏，一如河舊。後爲廣陵太守、偏將軍。權爲吳王，遷揚威將軍，封建德侯。權稱尊號，爲鎮北將軍。韶爲邊將數十年，善養士卒，得其死力。常以警疆埸遠斥候爲務，先知動静而爲之備，故鮮有負敗。青、徐、汝、沛頗來歸附，淮南濱江屯候皆徹兵遠徙，徐、泗、江、淮之地，不居者各數百里。自權西征，還都武昌，韶不進見者十餘年。權還建業，乃得朝覲。權問青、徐諸屯要害，遠近人馬衆寡，魏將帥姓名，盡具識之，有問咸對。身長八尺，儀貌都雅。權歡悦曰：『吾久不見公禮，不圖進益乃爾。』加領幽州牧、假節。赤烏四年卒。子越嗣，至右將軍。越兄楷武衛大將軍、臨成侯，代越爲京下督。楷弟異至領軍將軍，奕宗正卿，恢武陵太守。天璽元年，徵楷爲宫下鎮驃騎將軍。初永安賊施但等劫晧弟謙，襲建業，或白楷二端不即赴討者，晧數遣詰楷。楷常惶怖，而卒被召，遂將妻子親兵數百人歸晉，晉以爲車騎將軍，封丹楊侯。

孫桓字叔武，河之子也。年二十五，拜安東中郎將，與陸遜共拒劉備。備軍衆甚盛，彌山盈谷，桓投身奮命，與遜戮力，備遂敗走。桓斬上夔道，截其徑要。備逾山越險，僅乃得免，忿恚歎曰：『吾昔初至京城，桓尚小兒，而今迫孤乃至此也！』桓以功拜建武將軍，封丹徒侯，下督牛渚，作橫江塢，會卒。

評曰：夫親親恩義，古今之常。宗子維城，詩人所稱。況此諸孫，或贊興初基，或鎮據邊陲，克堪厥任，不忝其榮者乎！故詳著云。

堪膺任，不忝其榮者乎！故詳著云。

評曰：夫親親恩義，古今之常。宗子維城，詩人所稱。況此諸孫，或贊興初基，或鎮據邊陲，克

三國志卷五十二

吴書七

張顧諸葛步傳第七

張昭字子布，彭城人也。少好學，善隸書，從白侯子安受《左氏春秋》，博覽衆書，與琅邪趙昱、東海王朗俱發名友善。弱冠察孝廉，不就，與朗共論舊君諱事，州里才士陳琳等皆稱善之。刺史陶謙舉茂才，不應，謙以爲輕己，遂見拘執。昱傾身營救，方以得免。漢末大亂，徐方士民多避難揚土，昭皆南渡江。孫策創業，命昭爲長史、撫軍中郎將，升堂拜母，如比肩之舊，文武之事，一以委昭。昭每得北方士大夫書疏，專歸美於昭，昭欲嘿而不宣則懼有私，宣之則恐非宜，進退不安。策聞之，歡笑曰：『昔管仲相齊，一則仲父，二則仲父，而桓公爲霸者宗。今子布賢，我能用之，其功名獨不在我乎！』

策臨亡，以弟權托昭，昭率群僚立而輔之。上表漢室，下移屬城，中外將校，各令奉職。權悲感未視事，昭謂權曰：『夫爲人後者，貴能負荷先軌，克昌堂構，以成勳業也。方今天下鼎沸，群盗滿山，孝廉何得寢伏哀戚，肆匹夫之情哉？』乃身自扶權上馬，陳兵而出，然後衆心知有所歸。昭復爲權長史，授任如前。後劉備表權行車騎將軍，昭爲軍師。權每田獵，常乘馬射虎，虎常突前攀持馬鞍。昭變色而前曰：『將軍何有當爾？夫爲人君者，謂能駕御英雄，驅使群賢，豈謂馳逐於原野，校勇於猛獸者乎？如有一旦之患，奈天下笑何？』權謝昭曰：『年少慮事不遠，以此慚君。』然猶

不能已，乃作射虎車，爲方目，閒不置蓋，一人爲御，自於中射之。時有逸群之獸，輒復犯車，而權每手擊以爲樂。昭雖諫爭，常笑而不答。魏黄初二年，遣使者邢貞拜權爲吴王。貞入門，不下車。昭謂貞曰：『夫禮無不敬，故法無不行。而君敢自尊大，豈以江南寡弱，無方寸之刃故乎！』貞即遽下車。拜昭爲綏遠將軍，封由拳侯。權於武昌，臨釣臺，飲酒大醉。權使人以水灑群臣曰：『今日酣飲，惟醉墮臺中，乃當止耳。』昭正色不言，出外車中坐。權遣人呼昭還，謂曰：『爲共作樂耳，公何爲怒乎？』昭對曰：『昔紂爲糟丘酒池長夜之飲，當時亦以爲樂，不以爲惡也。』權默然，有慚色，遂罷酒。初，權當置丞相，衆議歸昭。權曰：『方今多事，職統者責重，非所以優之也。』後孫邵卒，百寮復舉昭，權曰：『孤豈爲子布有愛乎？領丞相事煩，而此公性剛，所言不從，怨咎將興，非所以益之也。』乃用顧雍。

權既稱尊號，昭以老病，上還官位及所統領。更拜輔吴將軍，班亞三司，改封婁侯，食邑萬户。在里宅無事，乃著《春秋左氏傳解》及《論語注》。權嘗問衛尉嚴畯：『寧念小時所闇書不？』畯因誦《孝經》『仲尼居』。昭曰：『嚴畯鄙生，臣請爲陛下誦之。』乃誦『君子之事上』，咸以昭爲知所誦。

昭每朝見，辭氣壯厲，義形於色，曾以直言逆旨，中不進見。後蜀使來，稱蜀德美，而群臣莫拒，權嘆曰：『使張公在坐，彼不折則廢，安復自誇乎？』明日，遣中使勞問，因請見昭。昭避席謝，權跪止之。昭坐定，仰曰：『昔太后、桓王不以老臣屬陛下，而以陛下屬老臣，是以思盡臣節，以報厚恩，

使泯没之後，有可稱述，而意慮淺短，違逆盛旨，自分幽淪，長棄溝壑，不圖復蒙引見，得奉帷幄。然臣愚心所以事國，志在忠益，畢命而已。若乃變心易慮，以偷榮取容，此臣所不能也。』權辭謝焉。

權以公孫淵稱藩，遣張彌、許晏至遼東拜淵爲燕王，昭諫曰：『淵背魏懼討，遠來求援，非本志也。若淵改圖，欲自明於魏，兩使不反，不亦取笑於天下乎？』權與相反覆，昭意彌切。權不能堪，案刀而怒曰：『吳國士人入宮則拜孤，出宮則拜君，孤之敬君，亦爲至矣，而數於衆中折孤，孤嘗恐失計。』昭熟視權曰：『臣雖知言不用，每竭愚忠者，誠以太后臨崩，呼老臣於牀下，遺詔顧命之言故在耳。』因涕泣横流。權擲刀致地，與昭對泣。然卒遣彌、晏往。昭忿言之不用，稱疾不朝。權恨之，土塞其門，昭又於内以土封之。淵果殺彌、晏。權數慰謝昭，昭固不起，權因出過其門呼昭，昭辭疾篤。權燒其門，欲以恐之，昭更閉户。權使人滅火，住門良久，昭諸子共扶昭起，權載以還宮，深自克責。昭不得已，然後朝會。

昭容貌矜嚴，有威風，權常曰：『孤與張公言，不敢妄也。』舉邦憚之。年八十一，嘉禾五年卒。遺令幅巾素棺，斂以時服。權素服臨弔，謚曰文侯。長子承已自封侯，少子休襲爵。

昭弟子奮年二十，造作攻城大攻車，爲步騭所薦。昭不願曰：『汝年尚少，何爲自委於軍旅乎？』奮對曰：『昔童汪死難，子奇治阿，奮實不才耳，於年不爲少也。』遂領兵爲將軍，連有功效，至半州都督，封樂鄉亭侯。

承字仲嗣，少以才學知名，與諸葛瑾、步騭、嚴畯相友善。權爲驃騎將軍，辟西曹掾。出爲長沙西部都尉。討平山寇，得精兵萬五千人。後爲濡須都督、奮威將軍，封都鄉侯，領部曲五千人，承爲人壯毅忠讜，能甄識人物，拔彭城蔡款、南陽謝景於孤微童幼，後並爲國士，款至衛尉，景豫章太守。又諸葛恪年少時，衆人奇其英才，承言終敗諸葛氏者元遜也。勤於長進，篤於物類，凡在庶幾之流，無不造門。年六十七，赤烏七年卒，謚曰定侯。子震嗣。初，承喪妻，昭欲爲索諸葛瑾女，承以相與有好，難之，權聞而勸焉，遂爲婿。生女，權爲子和納之。權數令和脩敬於承，執子婿之禮。震諸葛恪誅時亦死。

休字叔嗣，弱冠與諸葛恪、顧譚等俱爲太子登僚友，以《漢書》授登。從中庶子轉爲右弼都尉。權常游獵，迨暮乃歸，休上疏諫戒，權大善之，以示於昭。及登卒後，爲侍中，拜羽林都督，平三典軍事，還揚武將軍。爲魯王霸友黨所譖，與顧譚、承俱以芍陂論功事，休、承與典軍陳恂通情，詐增其伐，並徙交州。中書令孫弘佞僞險詖，休素所忿，弘因是譖訴，下詔書賜休死，時年四十一。

顧雍字元嘆，吳郡吳人也。蔡伯喈從朔方還，嘗避怨於吳，雍從學琴書。州郡表薦，弱冠爲合肥長，後轉在婁、曲阿、上虞，皆有治迹。孫權領會稽太守，不之郡，以雍爲丞，行太守事，討除寇賊，郡界寧靜，吏民歸服。數年，入爲左司馬。權爲吳王，累遷大理奉常，領尚書令，封陽遂鄉侯，拜侯還寺，而家人不知，後聞乃驚。

黄武四年，迎母於吳。既至，權臨賀之，親拜其母於庭，公卿大臣畢會，後太子又往慶焉。雍爲人不飲酒，寡言語，舉動時當。權嘗嘆曰：『顧君不言，言必有中。』至飲宴歡樂之際，左右恐有酒

失而雍必見之，是以不敢肆情。權亦曰：『顧公在坐，使人不樂。』其見憚如此。是歲，改爲太常，進封醴陵侯，代孫邵爲丞相，平尚書事。其所選用文武將吏各隨能所任，心無適莫。時訪逮民閒，及政職所宜，輒密以聞。若見納用，則歸之於上，不用，終不宣泄。權以此重之。然於公朝有所陳及，辭色雖順而所執者正。權嘗咨問得失，張昭因陳聽采聞，頗以法令太稠，刑罰微重，宜有所蠲損。權默然，顧問雍曰：『君以爲何如？』雍對曰：『臣之所聞，亦如昭所陳。』於是權乃議獄輕刑。久之，呂壹、秦博爲中書，典校諸官府及州郡文書。壹等因此漸作威福，遂造作榷酤障管之利，舉罪糾奸，纖介必聞，重以深案醜誣，毀短大臣，排陷無辜，雍等皆見舉白，用被譴讓。後壹奸罪發露，收繫廷尉。雍往斷獄，壹以囚見，雍和顏色，問其辭狀，臨出，又謂壹曰：『君意得無欲有所道？』壹叩頭無言。時尚書郎懷敘面詈辱壹，雍責敘曰：『官有正法，何至於此！』

雍爲相十九年，年七十六，赤烏六年卒。初疾微時，權令醫趙泉視之，拜其少子濟爲騎都尉。雍聞，悲曰：『泉善別死生，吾必不起，故上欲及吾目見濟拜也。』權素服臨弔，謚曰肅侯。長子邵早卒，次子裕有篤疾，少子濟嗣，無後，絕。永安元年，詔曰：『故丞相雍，至德忠賢，輔國以禮，而侯統廢絕，朕甚愍之。其以雍次子裕襲爵爲醴陵侯，以明著舊勳。』

邵字孝則，博覽書傳，好樂人倫。少與舅陸績齊名，而陸遜、張敦、卜靜等皆亞焉。自州郡庶幾及四方人士，往來相見，或言議而去，或結厚而別，風聲流聞，遠近稱之。權妻以策女。年二十七，起家爲豫章太守。下車祀先賢徐孺子之墓，優待其後；禁其淫祀非禮之祭者。小吏資質佳者，輒令就學，擇其先進，擢置右職，舉善以教，風化大行。初，錢唐丁諝出於役伍，陽羨張秉生於庶民，烏程吾粲、雲陽殷禮起乎微賤，邵皆拔而友之，爲立聲譽。秉遭大喪，親爲制服結絰。邵當之豫章，發在近路，值秉疾病，時送者百數，邵辭賓客曰：『張仲節有疾，苦不能來別，恨不見之，暫還與訣，諸君少時相待。』其留心下士，惟善所在，皆此類也。諝至典軍中郎，秉雲陽太守，禮零陵太守，粲太子太傅。世以邵爲知人。在郡五年，卒官，子譚、承云。

譚字子默，弱冠與諸葛恪等爲太子四友，從中庶子轉輔正都尉。赤烏中，代恪爲左節度。每省簿書，未嘗下籌，徒屈指心計，盡發疑謬，下吏以此服之。加奉車都尉。薛綜爲選曹尚書，固讓譚曰：『譚心精體密，貫道達微，才照人物，德允衆望，誠非愚臣所可越先。』後遂代綜。祖父雍卒數月，拜太常，代雍平尚書事。是時魯王霸有盛寵，與太子和齊衡，譚上疏曰：『臣聞有國有家者，必明嫡庶之端，異尊卑之禮，使高下有差，階級逾邈，如此則骨肉之恩生，覬覦之望絕。昔賈誼陳治安之計，論諸侯之勢，以爲勢重，雖親必有逆節之累，勢輕，雖疏必有保全之祚。故淮南親弟，不終饗國，失之於勢重也；吳芮疏臣，傳祚長沙，得之於勢輕也。昔漢文帝使慎夫人與皇后同席，袁盎退夫人之座，帝有怒色，及盎辨上下之儀，陳人彘之戒，帝既悅懌，夫人亦悟。今臣所陳，非有所偏，誠欲以安太子而便魯王也。』由是霸與譚有隙。時長公主婿衛將軍全琮子寄爲霸賓客，寄素傾邪，譚所不納。先是，譚弟承與張休俱北征壽春，全琮時爲大都督，與魏將王淩戰於芍陂，軍不利，魏兵乘勝陷沒五營將秦晃軍，休、承奮擊之。遂駐魏師。時琮群子緒、端亦並爲將，因敵既住，乃進擊之，淩軍用

退。時論功行賞，以爲駐敵之功大，退敵之功小，休、承並爲雜號將軍，緒、端偏裨而已。寄父子益恨，共搆會譚。譚坐徙交州，幽而發憤，著《新言》二十篇。其《知難篇》蓋以自悼傷也。見流二年，年四十二，卒於交阯。

承字子直，嘉禾中與舅陸瑁俱以禮徵。權賜丞相雍書曰：『貴孫子直，令問休休，至與相見，過於所聞，爲君嘉之。』拜騎都尉，領羽林兵。後爲吳郡西部都尉，與諸葛恪等共平山越，別得精兵八千人，還屯軍章阬，拜昭義中郎將，入爲侍中。芍陂之役，拜奮威將軍，出領京下督。數年，與兄譚、張休等俱徙交州，年三十七卒。

諸葛瑾字子瑜，琅邪陽都人也。漢末避亂江東。值孫策卒，孫權姊婿曲阿弘咨見而異之，薦之於權，與魯肅等並見賓待，後爲權長史，轉中司馬。建安二十年，權遣瑾使蜀通好劉備，與其弟亮俱公會相見，退無私面。

與權談説諫喻，未嘗切愕，微見風彩，粗陳指歸，如有未合，則捨而及他，徐復托事造端，以物類相求，於是權意往往而釋。吳郡太守朱治，權舉將也，權曾有以望之，而素加敬，難自詰讓，忿忿不解。瑾揣知其故，而不敢顯陳，乃乞以意私自問，遂於權前爲書，泛論物理，因以己心遥往忖度之。畢，以呈權，權喜，笑曰：『孤意解矣。顔氏之德，使人加親，豈謂此邪？』權又怪校尉殷模，罪至不測。群下多爲之言，權怒益甚，與相反覆，惟瑾默然，權曰：『子瑜何獨不言？』瑾避席曰：『瑾與殷模等遭本州傾覆，生類殄盡。棄墳墓，携老弱，披草萊，歸聖化，在流隸之中，蒙生成之福，不能躬相督厲，陳答萬一，至令模孤負恩惠，自陷罪戾。臣謝過不暇，誠不敢有言。』權聞之愴然，乃曰：『特爲君赦之。』

後從討關羽，封宣城侯，以綏南將軍代呂蒙領南郡太守，住公安。劉備東伐吳，吳王求和，瑾與備箋曰：『奄聞旗鼓來至白帝，或恐議臣以吳王侵取此州，危害關羽，怨深禍大，不宜答和，此用心於小，未留意於大者也。試爲陛下論其輕重，及其大小。陛下若抑威損忿，蹔省瑾言者，計可立決，不復咨之於群后也。陛下以關羽之親何如先帝？荆州大小孰與海内？俱應仇疾，誰當先後？若審此數，易於反掌。』時或言瑾別遣親人與備相聞，權曰：『孤與子瑜有死生不易之誓，子瑜之不負孤，猶孤之不負子瑜也。』黄武元年，遷左將軍，督公安，假節，封宛陵侯。

虞翻以狂直流徙，惟瑾屢爲之説。翻與所親書曰：『諸葛敦仁，則天活物，比蒙清論，有以保分。惡積罪深，見忌殷重，雖有祁老之救，德無羊舌，解釋難冀也。』

瑾爲人有容貌思度，于時服其弘雅。權亦重之，大事咨訪。又別咨瑾曰：『近得伯言表，以爲「曹丕已死，毒亂之民，當望旌瓦解，而更静然。聞皆選用忠良，寬刑罰，布恩惠，薄賦省役，以悦民心，其患更深於操時」。孤以爲不然。操之所行，其惟殺伐小爲過差，及離間人骨肉，以爲酷耳。至於御將，自古少有。丕之於操，萬不及也。今叡之不如丕，猶丕不如操也。其所以務崇小惠，必以其父新死，自度衰微，恐困苦之民一朝崩沮，故强屈曲以求民心，欲以自安住耳，寧是興隆之漸邪！聞任陳長文、曹子丹輩，或文人諸生，或宗室戚臣，寧能御雄才虎將以制天下乎？夫威柄不專，則

其事乖錯，如昔張耳、陳餘，非不敦睦，至於秉勢，自還相賊，乃事理使然也。又長文之徒，昔所以能守善者，以操笮其頭，畏操威嚴，故竭心盡意，不敢爲非耳。逮丕繼業，年已長大，承操之後，以恩情加之，用能感義。今叡幼弱，隨人東西，此曹等輩，必當因此弄巧行態，阿黨比周，各助所附。如此之日，奸讒並起，更相陷懟，轉成嫌貳。一爾已往，群下争利，主幼不御，其爲敗也焉得久乎？所以知其然者，自古至今，安有四五人把持刑柄，而不離刺轉相蹄齧者也！强當陵弱，弱當求援，此亂亡之道也。子瑜，卿但側耳聽之，伯言常長於計校，恐此一事小短也。』

權稱尊號，拜大將軍、左都護，領豫州牧。及吕壹誅，權又有詔切磋瑾等，語在《權傳》。瑾輒因事以答，辭順理正。瑾子恪，名盛當世，權深器異之；然瑾常嫌之，謂非保家之子，每以憂戚。赤烏四年，年六十八卒，遺命令素棺斂以時服，事從省約。恪已自封侯，故弟融襲爵，攝兵業駐公安，部曲吏士親附之。疆外無事，秋冬則射獵講武，春夏則延賓高會，休吏假卒，或不遠千里而造焉。每會輒歷問賓客，各言其能，乃合榻促席，量敵選對，或有博弈，或有摴蒱，投壺弓彈，部別類分，於是甘果繼進，清酒徐行，融周流觀覽，終日不倦。融父兄質素，雖在軍旅，身無采飾；而融錦罽文繡，獨爲奢綺。孫權薨，徙奮威將軍。後恪征淮南，假融節，令引軍入沔，以擊西兵。恪既誅，遣無難督施寬就將軍施績、孫壹、全熙等取融。融卒聞兵士至，惶懼猶豫，不能決計，兵到圍城，飲藥而死，三子皆伏誅。

步騭字子山，臨淮淮陰人也。世亂，避難江東，單身窮困，與廣陵衛旌同年相善，俱以種瓜自給，晝勤四體，夜誦經傳。

會稽焦征羌，郡之豪族，人客放縱。騭與旌求食其地，懼爲所侵，乃共脩刺奉瓜，以獻征羌。征羌方在内卧，駐之移時，旌欲委去，騭止之曰：『本所以來，畏其强也；而今舍去，欲以爲高，祇結怨耳。』良久，征羌開牖見之，身隱几坐帳中，設席致地，坐騭、旌於牖外，旌愈耻之，騭辭色自若。征羌作食，身享大案，殽膳重沓，以小盤飯與騭、旌，惟菜茹而已。旌不能食，騭極飯致飽乃辭出。旌怒騭曰：『何能忍此？』騭曰：『吾等貧賤，是以主人以貧賤遇之，固其宜也，當何所耻？』

孫權爲討虜將軍，召騭爲主記，除海鹽長，還辟車騎將軍東曹掾。建安十五年，出領鄱陽太守。歲中，徙交州刺史、立武中郎將，領武射吏千人，便道南行。明年，追拜使持節、征南中郎將。劉表所置蒼梧太守吳巨陰懷異心，外附内違。騭降意懷誘，請與相見，因斬徇之，威聲大震。士燮兄弟，相率供命，南土之賓，自此始也。益州大姓雍闓等殺蜀所署太守正昂，與燮相聞，求欲内附。騭因承制遣使宣恩撫納，由是加拜平戎將軍，封廣信侯。

延康元年，權遣吕岱代騭，騭將交州義士萬人出長沙。會劉備東下，武陵蠻夷蠢動，權逆命騭上益陽。備既敗績，而零、桂諸郡猶相驚擾，處處阻兵，騭周旋征討，皆平之。黄武二年，遷右將軍左護軍，改封臨湘侯。五年，假節，徙屯漚口。

權稱尊號，拜驃騎將軍，領冀州牧。是歲，都督西陵，代陸遜撫二境，頃以冀州在蜀分，解牧職。時權太子登駐武昌，愛人好善，與騭書曰：『夫賢人君子，所以興隆大化，佐理時務者也。受性闇

蔽，不達道數，雖實區區欲盡心於明德，歸分於君子，至於遠近士人，先後之宜，猶或緬焉，未之能詳。《傳》曰：「愛之能勿勞乎？忠焉能勿誨乎？」斯其義也，豈非所望於君子哉！』騭於是條于時建業在荊州界者，諸葛瑾、陸遜、朱然、程秉、潘濬、裴玄、夏侯承、衛旌、李肅、周條、石幹十一人，甄別行狀，因上疏獎勸曰：『臣聞人君不親小事，百官有司各任其職。故舜命九賢，則無所用心，彈五弦之琴，詠南風之詩，不下堂廟而天下治也。齊桓用管仲，被髮載車，齊國既治，又致匡合。近漢高祖擥三傑以興帝業，西楚失雄俊以喪成功。汲黯在朝，淮南寢謀；郅都守邊，匈奴竄迹。故賢人所在，折衝萬里，信國家之利器，崇替之所由也。方今王化未被於漢北，河、洛之濱尚有僭逆之醜，誠擥英雄拔俊任賢之時也。願明太子重以經意，則天下幸甚。』

後中書呂壹典校文書，多所糾舉，騭上疏曰：『伏聞諸典校擿抉細微，吹毛求瑕，重案深誣，輒欲陷人以成威福；無罪無辜，橫受大刑，是以使民跼天蹐地，誰不戰慄？昔之獄官，惟賢是任，故皋陶作士，呂侯贖刑，張、于廷尉，民無冤枉，休泰之祚，實由此興。今之小臣，動與古異，獄以賄成，輕忽人命，歸咎于上，爲國速怨。夫一人吁嗟，王道爲虧，甚可仇疾。明德慎罰，哲人惟刑，書傳所美。自今蔽獄，都下則宜諮顧雍，武昌則陸遜、潘濬，平心專意，務在得情，騭黨神明，受罪何恨？』又曰：『天子父天母地，故宮室百官，動法列宿。若施政令，欽順時節，官得其人，則陰陽和平，七曜循度。至於今日，官寮多闕，雖有大臣，復不信任，如此天地焉得無變？故頻年枯旱，亢陽之應也。又嘉禾六年五月十四日，赤烏二年正月一日及二十七日，地皆震動。地陰類，臣之象，陰氣盛故動，臣下專政之故也。夫天地見異，所以警悟人主，可不深思其意哉！』又曰：『丞相顧雍、上大將軍陸遜、太常潘濬，憂深責重，志在謁誠，夙夜兢兢，寢食不寧，念欲安國利民，建久長之計，可謂心膂股肱，社稷之臣矣。宜各委任，不使他官監其所司，責其成效，課其負殿。此三臣者，思慮不到則已，豈敢專擅威福欺負所天乎？』又曰：『縣賞以顯善，設刑以威奸，任賢而使能，審明於法術，則何功而不成，何事而不辨，何聽而不聞，何視而不睹哉？若今郡守百里，皆各得其人，共相經緯，如是，庶政豈不康哉！竊聞諸縣並有備吏，吏多民煩，俗以之弊。但小人因緣銜命，不務奉公而作威福，無益視聽，更爲民害，愚以爲可一切罷省。』權亦覺悟，遂誅呂壹。騭前後薦達屈滯，救解患難，書數十上。權雖不能悉納，然時采其言，多蒙濟賴。

赤烏九年，代陸遜爲丞相，猶誨育門生，手不釋書，被服居處有如儒生。然門內妻妾服飾奢綺，頗以此見譏。在西陵二十年，鄰敵敬其威信。性寬弘得衆，喜怒不形於聲色，而外內肅然。

十年卒，子協嗣，統騭所領，加撫軍將軍。協卒，子璣嗣侯。協弟闡，繼業爲西陵督，加昭武將軍，封西亭侯。鳳皇元年，召爲繞帳督。闡累世在西陵，卒被徵命，自以失職，又懼有讒禍，於是據城降晉。遣璣與弟璿詣洛陽爲任，晉以闡爲都督西陵諸軍事、衛將軍、儀同三司，加侍中，假節領交州牧，封宜都公；璣監江陵諸軍事、左將軍，加散騎常侍，領廬陵太守，改封江陵侯；璿給事中、宣威將軍，封都鄉侯。命車騎將軍羊祜、荊州刺史楊肇往赴救闡。孫晧使陸抗西行，祜等遁退。抗陷城，禽斬闡等，步氏泯滅，惟璿紹祀。

潁川周昭著書稱步騭及嚴畯等曰：『古今賢士大夫所以失名喪身傾家害國者，其由非一也，然要其大歸，總其常患，四者而已。急論議一也，爭名勢二也，重朋黨三也，務欲速四也。急論議則傷人，爭名勢則敗友，重朋黨則蔽主，務欲速則失德，此四者不除，未有能全也。當世君子能不然者，亦比有之，豈獨古人乎！然論其絶異，未若顧豫章、諸葛使君、步丞相、嚴衞尉、張奮威之爲美也。《論語》言「夫子恂恂然善誘人」，又曰「成人之美，不成人之惡」，豫章有之矣。「望之儼然，即之也温，聽其言也厲」，使君體之矣。「恭而安，威而不猛」，丞相履之矣。學不求禄，心無苟得，衞尉、奮威蹈之矣。此五君者，雖德實有差，輕重不同，至於趣舍大檢，不犯四者，俱一揆也。昔丁諝出於孤家，吾粲由於牧豎，豫章揚其善，以並陸、全之列，是以人無幽滯而風俗厚焉。使君、丞相、衞尉三君，昔以布衣俱相友善，諸論者因各叙其優劣。初，先衞尉，次丞相，而後有使君也；其後並事明主，經營世務，出處之才有不同，先後之名須反其初，此世常人決勤薄也。至於三君分好，卒無虧損，豈非古人交哉！又魯橫江昔杖萬兵，屯據陸口，當世之美業也，能與不能，孰不願焉？而橫江既亡，衞尉應其選，自以才非將帥，深辭固讓，終於不就。後徙九列，遷典八座，榮不足以自曜，禄不足以自奉。至於二君，皆位爲上將，窮富極貴。衞尉既無求欲，二君又不稱薦，各守所志，保其名好。孔子曰：「君子矜而不爭，群而不黨。」斯有風矣。又奮威之名，亦三君之次也，當一方之戍，受上將之任，與使君、丞相不異也。然歷國事，論功勢，實有先後，故爵位之榮殊焉。而奮威將處此，決能明其部分，心無失道之欲，事無充詘之求，每升朝堂，循禮而動，辭氣謇謇，罔不惟忠。叔嗣雖親貴，言憂其敗，蔡文至雖疏賤，談稱其賢。女配太子，受禮若吊，慷愾之趨，惟篤人物，成敗得失，皆如所慮，可謂守道見機，好古之士也。若乃經國家，當軍旅，於馳騖之際，立霸王之功，此五者未爲過人。至其純粹履道，求不苟得，升降當世，保全名行，邈然絶俗，實有所師。故粗論其事，以示後之君子。』周昭者字恭遠，與韋曜、薛瑩、華覈並述《吳書》，後爲中書郎，坐事下獄，覈表救之，孫休不聽，遂伏法云。

評曰：張昭受遺輔佐，功勳克舉，忠謇方直，動不爲己；而以嚴見憚，以高見外，既不處宰相，又不登師保，從容閭巷，養老而已，以此明權之不及策也。顧雍依杖素業，而將之智局，故能究極榮位。諸葛瑾、步騭並以德度規檢見器當世，張承、顧邵虛心長者，好尚人物，周昭之論，稱之甚美，故詳録焉。譚獻納在公，有忠貞之節。休、承脩志，咸庶爲善。愛惡相攻，流播南裔，哀哉！

三國志卷五十三

吳書八

張嚴程闞薛傳第八

張紘字子綱，廣陵人。少游學京都，還本郡，舉茂才，公府辟，皆不就，避難江東。孫策創業，遂委質焉。表爲正議校尉，從討丹楊。策身臨行陳，紘諫曰：『夫主將乃籌謨之所自出，三軍之所繫命也，不宜輕脫，自敵小寇。願麾下重天授之姿，副四海之望，無令國内上下危懼。』

建安四年，策遣紘奉章至許宫，留爲侍御史。少府孔融等皆與親善。曹公聞策薨，欲因喪伐吴。紘諫，以爲乘人之喪，既非古義，若其不克，成讎棄好，不如因而厚之。曹公從其言，即表權爲討虜將軍，領會稽太守。曹公欲令紘輔權内附，出紘爲會稽東部都尉。

後權以紘爲長史，從征合肥。權率輕騎將往突敵，紘諫曰：『夫兵者凶器，戰者危事也。今麾下恃盛壯之氣，忽强暴之虜，三軍之衆，莫不寒心，雖斬將搴旗，威震敵場，此乃偏將之任，非主將之宜也。願抑賁、育之勇，懷霸王之計。』權納紘言而止。既還，明年將復出軍，紘又諫曰：『自古帝王受命之君，雖有皇靈佐於上，文德播於下，亦賴武功以昭其勳。然而貴於時動，乃後爲威耳。今麾下值四百之厄，有扶危之功，宜且隱息師徒，廣開播殖，任賢使能，務崇寬惠，順天命以行誅，可不勞而定也。』於是遂止不行。紘建計宜出都秣陵，權從之。令還吴迎家，道病卒。臨困，授子靖留牋曰：『自古有國有家者，咸欲脩德政以比隆盛世，至於其治，多不馨香。非無忠臣賢佐，闇於治體

也，由主不勝其情，弗能用耳。夫人情憚難而趨易，好同而惡異，與治道相反。《傳》曰「從善如登，從惡如崩」，言善之難也。人君承奕世之基，據自然之勢，操八柄之威，甘易同之歡，無假取於人；而忠臣挾難進之術，吐逆耳之言，其不合也，不亦宜乎！離則有釁，巧辯緣閒，眩於小忠，戀於恩愛，賢愚雜錯，長幼失叙，其所由來，情亂之也。故明君悟之，求賢如飢渴，受諫而不厭，抑情損欲，以義割恩，上無偏謬之授，下無希冀之望。宜加三思，含垢藏疾，以成仁覆之大。』時年六十卒。權省書流涕。

紘著詩賦銘誄十餘篇。子玄，官至南郡太守、尚書。玄子尚，孫晧時爲侍郎，以言語辯捷見知，擢爲侍中、中書令。晧使尚鼓琴，尚對曰：『素不能。』敕使學之。後宴言次説琴之精妙，尚因道『晋平公使師曠作清角，曠言吾君德薄，不足以聽之。』晧意謂尚以斯喻己，不悦。後積他事下獄，皆追以此爲詰，送建安作船。久之，又就加誅。

初，紘同郡秦松字文表、陳端字子正，並與紘見待於孫策，參與謀謨。各早卒。

嚴畯字曼才，彭城人也。少耽學，善《詩》、《書》、三《禮》，又好《説文》。避亂江東，與諸葛瑾、步騭齊名友善。性質直純厚，其於人物，忠告善道，志存補益。張昭進之於孫權，權以爲騎都尉、從事中郎。及横江將軍魯肅卒，權以畯代肅，督兵萬人，鎮據陸口。衆人咸爲畯喜，畯前後固辭：『樸素書生，不閑軍事，非才而據，咎悔必至。』發言慷慨，至於流涕，權乃聽焉。世嘉其能以實讓。權爲吴王，及稱尊號，畯嘗爲衛尉，使至蜀，蜀相諸葛亮深善之。不畜禄賜，皆散之親戚知故，家常不充。廣

陵劉穎與畯有舊，穎精學家巷，權聞徵之，以疾不就。其弟略爲零陵太守，卒官，穎往赴喪，權知其詐病，急驛收録。畯亦馳語穎，使還謝權。權怒廢畯，而穎得免罪。久之，以畯爲尚書令，後卒。

畯著《孝經傳》、《潮水論》，又與裴玄、張承論管仲、季路，皆傳於世。玄字彦黄，下邳人也，亦有學行，官至太中大夫。問子欽齊桓、晋文、夷、惠四人優劣，欽答所見，與玄相反覆，各有文理。欽與太子登游處，登稱其翰采。

程秉字德樞，汝南南頓人也。逮事鄭玄，後避亂交州，與劉熙考論大義，遂博通五經。士燮命爲長史。權聞其名儒，以禮徵，秉既到，拜太子太傅。黄武四年，權爲太子登娉周瑜女，秉守太常，迎妃於吴，權親幸秉船，深見優禮。既還，秉從容進説登曰：「婚姻人倫之始，王教之基，是以聖王重之，所以率先衆庶，風化天下，故《詩》美《關雎》，以爲稱首。願太子尊禮教於閨房，存《周南》之所咏，則道化隆於上，頌聲作於下矣。」登笑曰：「將順其美，匡救其惡，誠所賴於傅君也。」病卒官。著《周易摘》、《尚書駁》、《論語弼》，凡三萬餘言。秉爲傅時，率更令河南徵崇亦篤學立行云。

闞澤字德潤，會稽山陰人也。家世農夫，至澤好學，居貧無資，常爲人傭書，以供紙筆，所寫既畢，誦讀亦遍。追師論講，究覽群籍，兼通曆數，由是顯名。察孝廉，除錢唐長，遷郴令。孫權爲驃騎將軍，辟補西曹掾；及稱尊號，以澤爲尚書。嘉禾中，爲中書令，加侍中。赤烏五年，拜太子太傅，領中書如故。

澤以經傳文多，難得盡用，乃斟酌諸家，刊約《禮》文及諸注説以授二宫，爲制行出入及見賓儀，又著《乾象曆注》以正時日。每朝廷大議，經典所疑，輒諮訪之。以儒學勤勞，封都鄉侯。性謙恭篤慎，宫府小吏，呼召對問，皆爲抗禮。人有非短，口未嘗及，容貌似不足者，然所聞少窮。權嘗問：「書傳篇賦，何者爲美？」澤欲諷喻以明治亂，因對賈誼《過秦論》最善，權覽讀焉。初，以吕壹奸罪發聞，有司窮治，奏以大辟，或以爲宜加焚裂，用彰元惡。權以訪澤，澤曰：「盛明之世，不宜復有此刑。」權從之。又諸官司有所患疾，欲增重科防，以檢御臣下，澤每曰「宜依禮、律」，其和而有正，皆此類也。六年冬卒，權痛惜感悼，食不進者數日。

澤州里先輩丹楊唐固亦修身積學，稱爲儒者，著《國語》、《公羊》、《穀梁傳》注，講授常數十人。權爲吴王，拜固議郎，自陸遜、張温、駱統等皆拜之。黄武四年爲尚書僕射，卒。

薛綜字敬文，沛郡竹邑人也。少依族人避地交州，從劉熙學。士燮既附孫權，召綜爲五官中郎將，除合浦、交阯太守。時交土始開，刺史吕岱率師討伐，綜與俱行，越海南征，及到九真。事畢還都，守謁者僕射。西使張奉於權前列尚書闞澤姓名以嘲澤，澤不能答。綜下行酒，因勸酒曰：「蜀者何也？有犬爲獨，無犬爲蜀，横目苟身，虫入其腹。」奉曰：「不當復列君吴邪？」綜應聲曰：「無口爲天，有口爲吴，君臨萬邦，天子之都。」於是衆坐喜笑，而奉無以對。其樞機敏捷，皆此類也。

吕岱從交州召出，綜懼繼岱者非其人，上疏曰：「昔帝舜南巡，卒於蒼梧。秦置桂林、南海、象郡，然則四國之内屬也，有自來矣。趙佗起番禺，懷服百越之君，珠官之南是也。漢武帝誅吕嘉，開

九郡，設交阯刺史以鎮監之。山川長遠，習俗不齊，言語同異，重譯乃通，民如禽獸，長幼無別，椎結徒跣，貫頭左衽，長吏之設，雖有若無。自斯以來，頗徙中國罪人雜居其間，稍使學書，粗知言語，使驛往來，觀見禮化。及後錫光爲交阯，任延爲九真太守，乃教其耕犁，使之冠履；爲設媒官，始知聘娶；建立學校，導之經義。由此已降，四百餘年，頗有似類。自臣昔客始至之時，珠崖除州縣嫁娶，皆須八月引户，人民集會之時，男女自相可適，乃爲夫妻，父母不能止。交阯糜泠、九真都龐二縣，皆兄死弟妻其嫂，世以此爲俗，長吏恣聽，不能禁制。日南郡男女倮體，不以爲羞。由此言之，可謂蟲豸，有靦面目耳。然而土廣人衆，阻險毒害，易以爲亂，難使從治。縣官羈縻，示令威服，田户之租賦，裁取供辦，貴致遠珍名珠、香藥、象牙、犀角、玳瑁、珊瑚、琉璃、鸚鵡、翡翠、孔雀、奇物，充備寶玩，不必仰其賦入，以益中國也。然在九甸之外，長吏之選，類不精覈。漢時法寬，多自放恣，故數反違法。珠崖之廢，起於長吏睹其好髮，髠取爲髲。及臣所見，南海黄蓋爲日南太守，下車以供設不豐，撾殺主簿，仍見驅逐。九真太守儋萌爲妻父周京作主人，并請大吏，酒酣作樂，功曹番歆起舞屬京，京不肯起，歆猶迫强，萌忿杖歆，亡於郡内。歆弟苗帥衆攻府，毒矢射萌，萌至物故。交阯太守士燮遣兵致討，卒不能克。又故刺史會稽朱符，多以鄉人虞褒、劉彦之徒分作長吏，侵虐百姓，强賦於民，黄魚一枚收稻一斛，百姓怨叛，山賊並出，攻州突郡。符走入海，流離喪亡。次得南陽張津，與荆州牧劉表爲隙，兵弱敵强，歲歲興軍，諸將厭患，去留自在。津小檢攝，威武不足，爲所陵侮，遂至殺没。後得零陵賴恭，先輩仁謹，不曉時事。表又遣長沙吳巨爲蒼梧太守。巨武夫輕悍，不爲恭所服，

輒相怨恨，逐出恭，求步騭。是時津故將夷廖、錢博之徒尚多，騭以次鉏治，綱紀適定，會仍召出。呂岱既至，有士氏之變。越軍南征，平討之日，改置長吏，章明王綱，威加萬里，大小承風。由此言之，綏邊撫裔，實有其人。牧伯之任，既宜清能，荒流之表，禍福尤甚。今日交州雖名粗定，尚有高涼宿賊；其南海、蒼梧、鬱林、珠官四郡界未綏，依作寇盜，專爲亡叛逋逃之藪。若岱不復南，新刺史宜得精密，檢攝八郡，方略智計，能稍稍以漸治高涼者，假其威寵，借之形勢，責其成效，庶幾可補復。如但中人，近守常法，無奇數異術者，則群惡日滋，久遠成害。故國之安危，在於所任，不可不察也。竊懼朝廷忽輕其選，故敢竭愚情，以廣聖思。』

黄龍三年，建昌侯慮爲鎮軍大將軍，屯半州，以綜爲長史，外掌衆事，内授書籍。慮卒，入守賊曹尚書，遷尚書僕射。時公孫淵降而復叛，權盛怒，欲自親征。綜上疏諫曰：『夫帝王者，萬國之元首，天下之所繫命也。是以居則重門擊柝以戒不虞，行則清道案節以養威嚴，蓋所以存萬安之福，鎮四海之心。昔孔子疾時，托乘桴浮海之語，季由斯喜，拒以無所取才。漢元帝欲御樓船，薛廣德請刎頸以血染車。何則？水火之險至危，非帝王所宜涉也。諺曰：「千金之子，坐不垂堂。」况萬乘之尊乎？今遼東戎貊小國，無城池之固，備禦之術，器械鈇鈍，犬羊無政，往必禽克，誠如明詔。然其方土寒埆，穀稼不殖，民習鞍馬，轉徙無常。卒聞大軍之至，自度不敵，鳥驚獸駭，長驅奔竄，一人匹馬，不可得見，雖獲空地，守之無益，此不可一也。加又洪流滉瀁，有成山之難，海行無常，風波難免，倏忽之間，人船異勢。雖有堯舜之德，智無所施，賁育之勇，力不得設，此不可二也。加以鬱霧

冪其上，鹹水蒸其下，善生流腫，轉相洿染，凡行海者，稀無斯患，此不可三也。天生神聖，顯以符瑞，當乘平喪亂，康此民物；嘉祥日集，海内垂定，逆虜凶虐，滅亡在近。中國一平，遼東自斃，但當拱手以待耳。今乃違必然之圖，尋至危之阻，忽九州之固，肆一朝之忿，既非社稷之重計，又開闢以來所未嘗有，斯誠群僚所以傾身側息，食不甘味，寢不安席者也。惟陛下抑雷霆之威，忍赫斯之怒，遵乘橋之安，遠履冰之險，則臣子賴祉，天下幸甚。』時群臣多諫，權遂不行。

正月乙未，權敕綜祝祖不得用常文，綜承詔，卒造文義，信辭粲爛。權曰：『復爲兩頭，使滿三也。』綜復再祝，辭令皆新，衆咸稱善。赤烏三年，徙選曹尚書。五年，爲太子少傅，領選職如故。六年春，卒。凡所著詩賦難論數萬言，名曰《私載》，又定《五宗圖述》、《二京解》，皆傳於世。

子玥，官至威南將軍，征交阯還，道病死。玥弟瑩，字道言，初爲秘府中書郎，孫休即位，爲散騎中常侍。數年，以病去官。孫皓初，爲左執法，遷選曹尚書，及立太子，又領少傅。建衡三年，皓追嘆瑩父綜遺文，且命瑩繼作。瑩獻詩曰：『惟臣之先，昔仕于漢，奕世綿綿，頗涉臺觀。暨臣父綜，遭時之難，卵金失御，邦家毀亂。適兹樂土，庶存孑遺，天啓其心，東南是歸。厥初流隸，困于蠻垂。大皇開基，恩德遠施。特蒙招命，拯擢泥汙，釋放巾褐，受職剖符。作守合浦，在海之隅，遷入京輦，遂升機樞。枯瘁更榮，絶統復紀，自微而顯，非願之始。亦惟寵遇，心存足止。重值文皇，建號東宮，乃作少傅，光華益隆。明明聖嗣，至德謙崇，禮遇兼加，惟渥惟豐。哀哀先臣，念竭其忠，洪恩未報，委世以終。嗟臣蔑賤，惟昆及弟，幸生幸育，托綜遺體。過庭既訓，頑蔽難啓。堂構弗克，志存耦耕。豈

悟聖朝，仁澤流盈。追録先臣，愍其無成，是濟是拔，被以殊榮。玥忝千里，受命南征，旌旗備物，金革揚聲。及臣斯陋，實闇實微，既顯前軌，人物之機；復傅東宮，繼世荷輝，才不逮先，是忝是違。乾德博好，文雅是貴，追悼亡臣，冀存遺類。如何愚胤，曾無仿佛！瞻彼舊寵，顧此頑虚，孰能忍愧，臣實與居。夙夜反側，克心自論，父子兄弟，累世蒙恩，死惟結草，生誓殺身，雖則灰隕，無報萬分。』

是歲，何定建議鑿聖谿以通江淮，皓令瑩督萬人往，遂以多盤石難施功，罷還，出爲武昌左部督。後定被誅，皓追聖谿事，下瑩獄，徙廣州。右國史華覈上疏曰：『臣聞五帝三王皆立史官，敘録功美，垂之無窮。漢時司馬遷、班固，咸命世大才，所撰精妙，與六經俱傳。大吴受命，建國南土。大皇帝末年，命太史令丁孚、郎中項峻始撰《吳書》。孚、峻俱非史才，其所撰作，不足紀録。至少帝時，更差韋曜、周昭、薛瑩、梁廣及臣五人，訪求往事，所共撰立，備有本末。昭、廣先亡，曜負恩蹈罪，瑩出爲將，復以過徙，其書遂委滯，迄今未撰奏。臣愚淺才劣，適可爲瑩等記注而已，若使撰合，必襲孚、峻之迹，懼墜大皇帝之元功，損當世之盛美。瑩涉學既博，文章尤妙，同寮之中，瑩爲冠首。今者見吏，雖多經學，記述之才，如瑩者少，是以慺慺爲國惜之。實欲使卒垂成之功，編於前史之末。奏上之後，退填溝壑，無所復恨。』皓遂召瑩還，爲左國史。頃之，選曹尚書同郡繆禕以執意不移，爲群小所疾，左遷衡陽太守。既拜，又追以職事見詰責，拜表陳謝。因過詣瑩，復爲人所白，云禕不懼罪，多將賓客會聚瑩許。乃收禕下獄，徙桂陽，瑩還廣州。未至，召瑩還，復職。是時法政多謬，舉措

煩苛，瑩每上便宜，陳綏刑簡役，以濟育百姓，事或施行。遷光禄勳。天紀四年，晋軍征晧，晧奉書於司馬伷、王渾、王濬請降，其文，瑩所造也。瑩既至洛陽，特先見叙，爲散騎常侍，答問處當，皆有條理。太康三年卒。著書八篇，名曰《新議》。

評曰：張紘文理意正，爲世令器，孫策待之亞於張昭，誠有以也。嚴、程、闞生，一時儒林也。至畯辭榮濟舊，不亦長者乎！薛綜學識規納，爲吴良臣。及瑩纂蹈，允有先風，然於暴酷之朝，屢登顯列，君子殆諸。

三國志卷五十四

吳書九

周瑜魯肅呂蒙傳第九

周瑜字公瑾，廬江舒人也。從祖父景，景子忠，皆爲漢太尉。父異，洛陽令。

瑜長壯有姿貌。初，孫堅興義兵討董卓，徙家於舒。堅子策與瑜同年，獨相友善，瑜推道南大宅以舍策，升堂拜母，有無通共。瑜從父尚爲丹楊太守，瑜往省之。會策將東渡，到歷陽，馳書報瑜，瑜將兵迎策。策大喜曰：『吾得卿，諧也。』遂從攻橫江、當利，皆拔之。乃渡擊秣陵，破笮融、薛禮，轉下湖孰、江乘，進入曲阿，劉繇奔走，而策之衆已數萬矣。因謂瑜曰：『吾以此衆取吳會平山越已足。卿還鎮丹楊。』瑜還。頃之，袁術遣從弟胤代尚爲太守，而瑜與尚俱還壽春。術欲以瑜爲將，瑜觀術終無所成，故求爲居巢長，欲假塗東歸，術聽之。遂自居巢還吳。是歲，建安三年也。策親自迎瑜，授建威中郎將，即與兵二千人，騎五十匹。瑜時年二十四，吳中皆呼爲周郎。以瑜恩信著於廬江，出備牛渚，後領春穀長。頃之，策欲取荊州，以瑜爲中護軍，領江夏太守，從攻皖，拔之。時得橋公兩女，皆國色也。策自納大橋，瑜納小橋。復進尋陽，破劉勳，討江夏，還定豫章、廬陵，留鎮巴丘。

五年，策薨，權統事。瑜將兵赴喪，遂留吳，以中護軍與長史張昭共掌衆事。十一年，督孫瑜等討麻、保二屯，梟其渠帥，囚俘萬餘口，還備宮亭。江夏太守黄祖遣將鄧龍將兵數千人入柴桑，瑜追討擊，生虜龍送吳。十三年春，權討江夏，瑜爲前部大督。

其年九月，曹公入荊州，劉琮舉衆降，曹公得其水軍，船步兵數十萬，將士聞之皆恐。權延見群下，問以計策。議者咸曰：『曹公豺虎也，然托名漢相，挾天子以征四方，動以朝廷爲辭，今日拒之，事更不順。且將軍大勢，可以拒操者，長江也。今操得荊州，奄有其地，劉表治水軍，蒙衝鬬艦，乃以千數，操悉浮以沿江，兼有步兵，水陸俱下，此爲長江之險，已與我共之矣。而勢力衆寡，又不可論。愚謂大計不如迎之。』瑜曰：『不然。操雖托名漢相，其實漢賊也。將軍以神武雄才，兼仗父兄之烈，割據江東，地方數千里，兵精足用，英雄樂業，尚當橫行天下，爲漢家除殘去穢。況操自送死，而可迎之邪？請爲將軍籌之：今使北土已安，操無內憂，能曠日持久，來爭疆埸，又能與我校勝負於船楫間乎？今北土既未平安，加馬超、韓遂尚在關西，爲操後患。且舍鞍馬，仗舟楫，與吳越爭衡，本非中國所長。又今盛寒，馬無藁草，驅中國士衆遠涉江湖之間，不習水土，必生疾病。此數四者，用兵之患也，而操皆冒行之。將軍禽操，宜在今日。瑜請得精兵三萬人，進住夏口，保爲將軍破之。』權曰：『老賊欲廢漢自立久矣，徒忌二袁、呂布、劉表與孤耳。今數雄已滅，惟孤尚存，孤與老賊，勢不兩立。君言當擊，甚與孤合，此天以君授孤也。』

時劉備爲曹公所破，欲引南渡江，與魯肅遇於當陽，遂共圖計，因進住夏口，遣諸葛亮詣權，權遂遣瑜及程普等與備并力逆曹公，遇於赤壁。時曹公軍衆已有疾病，初一交戰，公軍敗退，引次江北。瑜等在南岸。瑜部將黄蓋曰：『今寇衆我寡，難與持久。然觀操軍船艦首尾相接，可燒而走也。』乃取蒙衝鬬艦數十艘，實以薪草，膏油灌其中，裹以帷幕，上建牙旗，先書報曹公，欺以欲降。又豫

備走舸，各繫大船後，因引次俱前。曹公軍吏士皆延頸觀望，指言蓋降。蓋放諸船，同時發火。時風盛猛，悉延燒岸上營落。頃之，烟炎張天，人馬燒溺死者甚衆，軍遂敗退，還保南郡。備與瑜等復共追。曹公留曹仁等守江陵城，徑自北歸。

瑜與程普又進南郡，與仁相對，各隔大江。兵未交鋒，瑜即遣甘寧前據夷陵。仁分兵騎别攻圍寧。寧告急於瑜。瑜用呂蒙計，留淩統以守其後，身與蒙上救寧。寧圍既解，乃渡屯北岸，克期大戰。瑜親跨馬擽陳，會流矢中右脅，瘡甚，便還。後仁聞瑜卧未起，勒兵就陳。瑜乃自興，案行軍營，激揚吏士，仁由是遂退。

權拜瑜偏將軍，領南郡太守。以下雋、漢昌、劉陽、州陵爲奉邑，屯據江陵。劉備以左將軍領荆州牧，治公安。備詣京見權，瑜上疏曰：『劉備以梟雄之姿，而有關羽、張飛熊虎之將，必非久屈爲人用者。愚謂大計宜徙備置吳，盛爲築宫室，多其美女玩好，以娱其耳目，分此二人，各置一方，使如瑜者得挾與攻戰，大事可定也。今猥割土地以資業之，聚此三人，俱在疆埸，恐蛟龍得雲雨，終非池中物也。』權以曹公在北方，當廣擥英雄，又恐備難卒制，故不納。

是時劉璋爲益州牧，外有張魯寇侵，瑜乃詣京見權曰：『今曹操新折衄，方憂在腹心，未能與將軍連兵相事也。乞與奮威俱進取蜀，得蜀而并張魯，因留奮威固守其地，好與馬超結援。瑜還與將軍據襄陽以蹙操，北方可圖也。』權許之。瑜還江陵，爲行裝，而道於巴丘病卒，時年三十六。權素服舉哀，感動左右。喪當還吳，又迎之蕪湖，衆事費度，一爲供給。後著令曰：『故將軍周瑜、程普，其有人客，皆不得問。』初瑜見友於策，太妃又使權以兄奉之。是時權位爲將軍，諸將賓客爲禮尚簡，而瑜獨先盡敬，便執臣節。性度恢廓，大率爲得人，惟與程普不睦。

瑜少精意於音樂，雖三爵之後，其有闕誤，瑜必知之，知之必顧，故時人謡曰：『曲有誤，周郎顧。』

瑜兩男一女。女配太子登。男循尚公主，拜騎都尉，有瑜風，早卒。循弟胤，初拜興業都尉，妻以宗女，授兵千人，屯公安。黄龍元年，封都鄉侯，後以罪徙廬陵郡。赤烏二年，諸葛瑾、步騭連名上疏曰：『故將軍周瑜子胤，昔蒙粉飾，受封爲將，不能養之以福，思立功效，至縱情欲，招速罪辟。臣竊以瑜昔見寵任，入作心膂，出爲爪牙，銜命出征，身當矢石，盡節用命，視死如歸，故能摧曹操於烏林，走曹仁於郢都，揚國威德，華夏是震，蠢爾蠻荆，莫不賓服，雖周之方叔，漢之信、布，誠無以尚也。夫折衝扞難之臣，自古帝王莫不貴重，故漢高帝封爵之誓曰「使黄河如帶，太山如礪，國以永存，爰及苗裔」；申以丹書，重以盟詛，藏于宗廟，傳於無窮，欲使功臣之後，世世相踵，非徒子孫，乃關苗裔，報德明功，勤勤懇懇，如此之至，欲以勸戒後人，用命之臣，死而無悔也。况於瑜身没未久，而其子胤降爲匹夫，益可悼傷。竊惟陛下欽明稽古，隆於興繼，爲胤歸訴，乞匄餘罪，還兵復爵，使失旦之鷄，復得一鳴，抱罪之臣，展其後效。』權答曰：『腹心舊勳，與孤協事，公瑾有之，誠所不忘。昔胤年少，初無功勞，横受精兵，爵以侯將，蓋念公瑾以及於胤也。而胤恃此，酗淫自恣，前後告喻，曾無悛改。孤於公瑾，義猶二君，樂胤成就，豈有已哉？迫胤罪惡，未宜便還，且欲苦之，

使自知耳。今二君勤勤援引漢高河山之誓，孤用恧然。雖德非其疇，猶欲庶幾，事亦如爾，故未順旨。以公瑾之子，而二君在中間，苟使能改，亦何患乎！』瑾、騭表比上，朱然及全琮亦俱陳乞，權乃許之。會胤病死。

瑜兄子峻，亦以瑜元功爲偏將軍，領吏士千人。峻卒，全琮表峻子護爲將。權曰：『昔走曹操，拓有荆州，皆是公瑾，常不忘之。初聞峻亡，仍欲用護，聞護性行危險，用之適爲作禍，故便止之。孤念公瑾，豈有已乎？』

魯肅字子敬，臨淮東城人也。生而失父，與祖母居。家富於財，性好施與。爾時天下已亂，肅不治家事，大散財貨，摽賣田地，以賑窮弊結士爲務，甚得鄉邑歡心。

周瑜爲居巢長，將數百人故過候肅，并求資糧。肅家有兩囷米，各三千斛，肅乃指一囷與周瑜，瑜益知其奇也，遂相親結，定僑、札之分。袁術聞其名，就署東城長。肅見術無綱紀，不足與立事，乃攜老弱將輕俠少年百餘人，南到居巢就瑜。瑜之東渡，因與同行，留家曲阿。會祖母亡，還葬東城。

劉子揚與肅友善，遺肅書曰：『方今天下豪傑並起，吾子姿才，尤宜今日。急還迎老母，無事滯於東城。近鄭寶者，今在巢湖，擁衆萬餘，處地肥饒，廬江閒人多依就之，況吾徒乎？觀其形勢，又可博集，時不可失，足下速之。』肅答然其計。葬畢還曲阿，欲北行。會瑜已徙肅母到吳，肅具以狀語瑜。時孫策已薨，權尚住吳，瑜謂肅曰：『昔馬援答光武云「當今之世，非但君擇臣，臣亦擇君」。今主人親賢貴士，納奇録異，且吾聞先哲秘論，承運代劉氏者，必興于東南，推步事勢，當其曆數。終搆帝基，以協天符，是烈士攀龍附鳳馳騖之秋。吾方達此，足下不須以子揚之言介意也。』肅從其言。瑜因薦肅才宜佐時，當廣求其比，以成功業，不可令去也。

權即見肅，與語甚悅之。衆賓罷退，肅亦辭出，乃獨引肅還，合榻對飲。因密議曰：『今漢室傾危，四方雲擾，孤承父兄餘業，思有桓文之功。君既惠顧，何以佐之？』肅對曰：『昔高帝區區欲尊事義帝而不獲者，以項羽爲害也。今之曹操，猶昔項羽，將軍何由得爲桓文乎？肅竊料之，漢室不可復興，曹操不可卒除。爲將軍計，惟有鼎足江東，以觀天下之釁。規模如此，亦自無嫌。何者？北方誠多務也。因其多務，剿除黃祖，進伐劉表，竟長江所極，據而有之，然後建號帝王以圖天下，此高帝之業也。』權曰：『今盡力一方，冀以輔漢耳，此言非所及也。』張昭非肅謙下不足，頗訾毀之，云肅年少粗疏，未可用。權不以介意，益貴重之，賜肅母衣服幃帳，居處雜物，富擬其舊。

劉表死，肅進說曰：『夫荆楚與國鄰接，水流順北，外帶江漢，內阻山陵，有金城之固，沃野萬里，士民殷富，若據而有之，此帝王之資也。今表新亡，二子素不輯睦，軍中諸將，各有彼此。加劉備天下梟雄，與操有隙，寄寓於表，表惡其能而不能用也。若備與彼協心，上下齊同，則宜撫安，與結盟好；如有離違，宜別圖之，以濟大事。肅請得奉命弔表二子，並慰勞其軍中用事者，及說備使撫表衆，同心一意，共治曹操，備必喜而從命。如其克諧，天下可定也。今不速往，恐爲操所先。』權即遣肅行。到夏口，聞曹公已向荆州，晨夜兼道。比至南郡，而表子琮已降曹公，備惶遽奔走，欲南渡江。肅徑迎之，到當陽長阪，與備會，宣騰權旨，及陳江東强固，勸備與權併力。備甚歡悅。時

諸葛亮與備相隨，肅謂亮曰『我子瑜友也』，即共定交。備遂到夏口，遣亮使權，肅亦反命。

會權得曹公欲東之問，與諸將議，皆勸權迎之，而肅獨不言。權起更衣，肅追於宇下，權知其意，執肅手曰：『卿欲何言？』肅對曰：『向察衆人之議，專欲誤將軍，不足與圖大事。今肅可迎操耳，如將軍，不可也。何以言之？今肅迎操，操當以肅還付鄉黨，品其名位，猶不失下曹從事，乘犢車，從吏卒，交游士林，累官故不失州郡也。將軍迎操，欲安所歸？願早定大計，莫用衆人之議也。』權嘆息曰：『此諸人持議，甚失孤望；今卿廓開大計，正與孤同，此天以卿賜我也。』

時周瑜受使至鄱陽，肅勸追召瑜還。遂任瑜以行事，以肅爲贊軍校尉，助畫方略。曹公破走，肅即先還，權大請諸將迎肅。肅將入閤拜，權起禮之，因謂曰：『子敬，孤持鞍下馬相迎，足以顯卿未？』肅趨進曰：『未也。』衆人聞之，無不愕然。就坐，徐舉鞭言曰：『願至尊威德加乎四海，總括九州，克成帝業，更以安車軟輪徵肅，始當顯耳。』權撫掌歡笑。

後備詣京見權，求都督荆州，惟肅勸權借之，共拒曹公。曹公聞權以土地業備，方作書，落筆於地。

周瑜病困，上疏曰：『當今天下，方有事役，是瑜乃心夙夜所憂，願至尊先慮未然，然後康樂。今既與曹操爲敵，劉備近在公安，邊境密邇，百姓未附，宜得良將以鎮撫之。魯肅智略足任，乞以代瑜。瑜隕踣之日，所懷盡矣。』即拜肅奮武校尉，代瑜領兵。瑜士衆四千餘人，奉邑四縣，皆屬焉。令程普領南郡太守。肅初住江陵，後下屯陸口，威恩大行，衆增萬餘人，拜漢昌太守、偏將軍。十九年，從權破皖城，轉橫江將軍。

先是，益州牧劉璋綱維頹弛，周瑜、甘寧並勸權取蜀，權以咨備，備內欲自規，乃僞報曰：『備與璋托爲宗室，冀憑英靈，以匡漢朝。今璋得罪左右，備獨竦懼，非所敢聞，願加寬貸。若不獲請，備當放髮歸於山林。』後備西圖璋，留關羽守，權曰：『猾虜乃敢挾詐！』及羽與肅鄰界，數生狐疑，疆埸紛錯，肅常以歡好撫之。備既定益州，權求長沙、零、桂，備不承旨，權遣呂蒙率衆進取。備聞，自還公安，遣羽爭三郡。肅住益陽，與羽相拒。肅邀羽相見，各駐兵馬百步上，但請將軍單刀俱會。肅因責數羽曰：『國家區區本以土地借卿家者，卿家軍敗遠來，無以爲資故也。今已得益州，既無奉還之意，但求三郡，又不從命。』語未究竟，坐有一人曰：『夫土地者，惟德所在耳，何常之有！』肅厲聲呵之，辭色甚切。羽操刀起謂曰：『此自國家事，是人何知！』目使之去。備遂割湘水爲界，於是罷軍。

肅年四十六，建安二十二年卒。權爲舉哀，又臨其葬。諸葛亮亦爲發哀。權稱尊號，臨壇，顧謂公卿曰：『昔魯子敬嘗道此，可謂明於事勢矣。』

肅遺腹子淑既壯，濡須督張承謂終當到至。永安中，爲昭武將軍、都亭侯、武昌督。建衡中，假節，遷夏口督。所在嚴整，有方幹。鳳皇三年卒。子睦襲爵，領兵馬。

呂蒙字子明，汝南富陂人也。少南渡，依姊夫鄧當。當爲孫策將，數討山越。蒙年十五六，竊隨當擊賊，當顧見大驚，呵叱不能禁止。歸以告蒙母，母恚欲罰之，蒙曰：『貧賤難可居，脫誤有功，富

貴可致。且不探虎穴，安得虎子？』母哀而舍之。時當職吏以蒙年小輕之，曰：『彼豎子何能爲？此欲以肉喂虎耳。』他日與蒙會，又蚩辱之。蒙大怒，引刀殺吏，出走，逃邑子鄭長家。出因校尉袁雄自首，承閒爲言，策召見奇之，引置左右。

數歲，鄧當死，張昭薦蒙代當，拜別部司馬。權統事，料諸小將兵少而用薄者，欲并合之。蒙陰賒貰，爲兵作絳衣行縢，及簡日，陳列赫然，兵人練習，權見之大悅，增其兵。從討丹楊，所向有功，拜平北都尉，領廣德長。

從征黄祖，祖令都督陳就逆以水軍出戰。蒙勒前鋒，親梟就首，將士乘勝，進攻其城。祖聞就死，委城走，兵追禽之。權曰：『事之克，由陳就先獲也。』以蒙爲横野中郎將，賜錢千萬。

是歲，又與周瑜、程普等西破曹公於烏林，圍曹仁於南郡。益州將襲肅舉軍來附，瑜表以肅兵益蒙，蒙盛稱肅有膽用，且慕化遠來，於義宜益不宜奪也。權善其言，還肅兵。瑜使甘寧前據夷陵，曹仁分衆攻寧，寧困急，使使請救。諸將以兵少不足分，蒙謂瑜、普曰：『留淩公績，蒙與君行，解圍釋急，勢亦不久，蒙保公績能十日守也。』又説瑜分遣三百人柴斷險道，賊走可得其馬。瑜從之。軍到夷陵，即日交戰，所殺過半。敵夜遁去，行遇柴道，騎皆舍馬步走。兵追蹙擊，獲馬三百匹，方船載還。於是將士形勢自倍，乃渡江立屯，與相攻擊，曹仁退走，遂據南郡，撫定荆州。還，拜偏將軍，領尋陽令。

魯肅代周瑜，當之陸口，過蒙屯下。肅意尚輕蒙，或説肅曰：『吕將軍功名日顯，不可以故意待也，君宜顧之。』遂往詣蒙。酒酣，蒙問肅曰：『君受重任，與關羽爲鄰，將何計略，以備不虞？』肅造次應曰：『臨時施宜。』蒙曰：『今東西雖爲一家，而關羽實熊虎也，計安可不豫定？』因爲肅畫五策。肅於是越席就之，拊其背曰：『吕子明，吾不知卿才略所及乃至於此也。』遂拜蒙母，結友而別。

時蒙與成當、宋定、徐顧屯次比近，三將死，子弟幼弱，權悉以兵并蒙。蒙固辭，陳啓顧等皆勤勞國事，子弟雖小，不可廢也。書三上，權乃聽。蒙於是又爲擇師，使輔導之，其操心率如此。

魏使廬江謝奇爲蘄春典農，屯皖田鄉，數爲邊寇。蒙使人誘之，不從，則伺隙襲擊，奇遂縮退，其部伍孫子才、宋豪等，皆携負老弱，詣蒙降。後從權拒曹公於濡須，數進奇計，又勸權夾水口立塢，所以備御甚精，曹公不能下而退。

曹公遣朱光爲廬江太守，屯皖，大開稻田，又令閒人招誘鄱陽賊帥，使作内應。蒙曰：『皖田肥美，若一收孰，彼衆必增，如是數歲，操態見矣，宜早除之。』乃具陳其狀。於是權親征皖，引見諸將，問以計策。蒙乃薦甘寧爲升城督，督攻在前，蒙以精鋭繼之。侵晨進攻，蒙手執枹鼓，士卒皆騰踊自升，食時破之。既而張遼至夾石，聞城已拔，乃退。權嘉其功，即拜廬江太守，所得人馬皆分與之，別賜尋陽屯田六百人，官屬三十人。蒙還尋陽，未期而廬陵賊起，諸將討擊不能禽，權曰：『鷙鳥累百，不如一鶚。』復令蒙討之。蒙至，誅其首惡，餘皆釋放，復爲平民。

是時劉備令關羽鎮守，專有荆土，權命蒙西取長沙、零、桂三郡。蒙移書二郡，望風歸服，惟零

陵太守郝普城守不降。而備自蜀親至公安，遣羽爭三郡。權時住陸口，使魯肅將萬人屯益陽拒羽，而飛書召蒙，使捨零陵，急還助肅。初，蒙既定長沙，當之零陵，過酃，載南陽鄧玄之，玄之者郝普之舊也，欲令誘普。及被書當還，蒙秘之，夜召諸將，授以方略，晨當攻城，顧謂玄之曰：『郝子太聞世間有忠義事，亦欲爲之，而不知時也。左將軍在漢中，爲夏侯淵所圍。關羽在南郡，今至尊身自臨之。近者破樊本屯，救酃，逆爲孫規所破。此皆目前之事，君所親見也。彼方首尾倒懸，救死不給，豈有餘力復營此哉？今吾士卒精鋭，人思致命，至尊遣兵，相繼於道。今子太以旦夕之命，待不可望之救，猶牛蹄中魚，冀賴江漢，其不可恃亦明矣。若子太必能一士卒之心，保孤城之守，尚能稽延旦夕，以待所歸者，可也。今吾計力度慮，而以攻此，曾不移日，而城必破，城破之後，身死何益於事，而令百歲老母，戴白受誅，豈不痛哉？度此家不得外問，謂援可恃，故至於此耳。君可見之，爲陳禍福。』玄之見普，具宣蒙意，普懼而聽之。玄之先出報蒙，普尋後當至。蒙豫敕四將，各選百人，普出，便入守城門。須臾普出，蒙迎執其手，與俱下船。語畢，出書示之，因拊手大笑，普見書，知備在公安，而羽在益陽，慚恨入地。蒙留孫皎，委以後事。即日引軍赴益陽。劉備請盟，權乃歸普等，割湘水，以零陵還之。以尋陽、陽新爲蒙奉邑。

師還，遂征合肥，既徹兵，爲張遼等所襲，蒙與淩統以死扞衛。後曹公又大出濡須，權以蒙爲督，據前所立塢，置强弩萬張於其上，以拒曹公。曹公前鋒屯未就，蒙攻破之，曹公引退。拜蒙左護軍、虎威將軍。

魯肅卒，蒙西屯陸口，肅軍人馬萬餘盡以屬蒙。又拜漢昌太守，食下雋、劉陽、漢昌、州陵。與關羽分土接境，知羽驍雄，有并兼心，且居國上流，其勢難久。初，魯肅等以爲曹公尚存，禍難始搆，宜相輔協，與之同仇，不可失也，蒙乃密陳計策曰：『令征虜守南郡，潘璋住白帝，蔣欽將游兵萬人，循江上下，應敵所在，蒙爲國家前據襄陽，如此，何憂於操，何賴於羽？且羽君臣，矜其詐力，所在反覆，不可以腹心待也。今羽所以未便東向者，以至尊聖明，蒙等尚存也。今不於强壯時圖之，一旦僵仆，欲復陳力，其可得邪？』權深納其策，又聊復與論取徐州意，蒙對曰：『今操遠在河北，新破諸袁，撫集幽、冀，未暇東顧。徐土守兵，聞不足言，往自可克。然地勢陸通，驍騎所騁，至尊今日得徐州，操後旬必來爭，雖以七八萬人守之，猶當懷憂。不如取羽，全據長江，形勢益張。』權尤以此言爲當。及蒙代肅，初至陸口，外倍修恩厚，與羽結好。

後羽討樊，留兵將備公安、南郡。蒙上疏曰：『羽討樊而多留備兵，必恐蒙圖其後故也。蒙常有病，乞分士衆還建業，以治疾爲名。羽聞之，必撤備兵，盡赴襄陽。大軍浮江，晝夜馳上，襲其空虛，則南郡可下，而羽可禽也。』遂稱病篤，權乃露檄召蒙還，陰與圖計。羽果信之，稍撤兵以赴樊。魏使于禁救樊，羽盡禽禁等，人馬數萬，托以糧乏，擅取湘關米。權聞之，遂行，先遣蒙在前。蒙至尋陽，盡伏其精兵𦪇艫中，使白衣摇櫓，作商賈人服，晝夜兼行，至羽所置江邊屯候，盡收縛之，是故羽不聞知。遂到南郡，士仁、麋芳皆降。蒙入據城，盡得羽及將士家屬，皆撫慰，約令軍中不得干歷人家，有所求取。蒙麾下士，是汝南人，取民家一笠，以覆官鎧，官鎧雖公，蒙猶以爲犯軍令，不可以

鄉里故而廢法，遂垂涕斬之。於是軍中震慄，道不拾遺。蒙旦暮使親近存恤耆老，問所不足，疾病者給醫藥，飢寒者賜衣糧。羽府藏財寶，皆封閉以待權至。羽還，在道路，數使人與蒙相聞，蒙輒厚遇其使，周游城中，家家致問，或手書示信。羽人還，私相參訊，咸知家門無恙，見待過於平時，故羽吏士無鬭心。會權尋至，羽自知孤窮，乃走麥城，西至漳鄉，衆皆委羽而降。權使朱然、潘璋斷其徑路，即父子俱獲，荆州遂定。

以蒙爲南郡太守，封孱陵侯，賜錢一億，黄金五百斤。蒙固辭金錢，權不許。封爵未下，會蒙疾發，權時在公安，迎置内殿，所以治護者萬方，募封内有能愈蒙疾者，賜千金。時有針加，權爲之慘慽，欲數見其顏色，又恐勞動，常穿壁瞻之，見小能下食則喜，顧左右言笑，不然則咄唶，夜不能寐。病中瘳，爲下赦令，群臣畢賀。後更增篤，權自臨視，命道士於星辰下爲之請命。年四十二，遂卒於内殿。時權哀痛甚，爲之降損。蒙未死時，所得金寶諸賜盡付府藏，敕主者命絶之日皆上還，喪事務約。權聞之，益以悲感。

蒙少不脩書傳，每陳大事，常口占爲箋疏。常以部曲事爲江夏太守蔡遺所白，蒙無恨意。及豫章太守顧邵卒，權問所用，蒙因薦遺奉職佳吏，權笑曰：『君欲爲祁奚耶？』於是用之。甘寧粗暴好殺，既常失蒙意，又時違權令，權怒之，蒙輒陳請：『天下未定，鬭將如寧難得，宜容忍之。』權遂厚寧，卒得其用。

蒙子霸襲爵，與守冢三百家，復田五十頃。霸卒，兄琮襲侯。琮卒，弟睦嗣。

孫權與陸遜論周瑜、魯肅及蒙曰：『公瑾雄烈，膽略兼人，遂破孟德，開拓荆州，邈焉難繼，君今繼之。公瑾昔要子敬來東，致達於孤，孤與宴語，便及大略帝王之業，此一快也。後孟德因獲劉琮之勢，張言方率數十萬衆水步俱下。孤普請諸將，咨問所宜，無適先對，至子布、文表，俱言宜遣使脩檄迎之，子敬即駮言不可，勸孤急呼公瑾，付任以衆，逆而擊之，此二快也。且其决計策意，出張蘇遠矣；後雖勸吾借玄德地，是其一短，不足以損其二長也。周公不求備於一人，故孤忘其短而貴其長，常以比方鄧禹也。又子明少時，孤謂不辭劇易，果敢有膽而已；及身長大，學問開益，籌略奇至，可以次於公瑾，但言議英發不及之耳。圖取關羽，勝於子敬。子敬答孤書云：「帝王之起，皆有驅除，羽不足忌。」此子敬内不能辦，外爲大言耳，孤亦恕之，不苟責也。然其作軍屯營，不失令行禁止，部界無廢負，路無拾遺，其法亦美也。』

評曰：曹公乘漢相之資，挾天子而掃群桀，新蕩荆城，仗威東夏，于時議者莫不疑貳。周瑜、魯肅建獨斷之明，出衆人之表，實奇才也。吕蒙勇而有謀，斷識軍計，譎郝普，禽關羽，最其妙者。初雖輕果妄殺，終於克己，有國士之量，豈徒武將而已乎！孫權之論，優劣允當，故載録焉。

三國志卷五十五

吳書十

程黃韓蔣周陳董甘淩徐潘丁傳第十

程普字德謀，右北平土垠人也。初爲州郡吏，有容貌計略，善於應對。從孫堅征伐，討黄巾於宛、鄧，破董卓於陽人，攻城野戰，身被創夷。

堅薨，復隨孫策在淮南，從攻廬江，拔之，還俱東渡。策到横江、當利，破張英、于麋等，轉下秣陵、湖孰、句容、曲阿，普皆有功，增兵二千，騎五十匹。進破烏程、石木、波門、陵傳、餘杭，普功爲多。策入會稽，以普爲吳郡都尉，治錢唐。後徙丹楊都尉，居石城。復討宣城、涇、安吳、陵陽、春穀諸賊，皆破之。策嘗攻祖郎，大爲所圍，普與一騎共蔽扞策，驅馬疾呼，以矛突賊，賊披，策因隨出。後拜蕩寇中郎將，領零陵太守，從討劉勳於尋陽，進攻黄祖於沙羡，還鎮石城。

策薨，與張昭等共輔孫權，遂周旋三郡，平討不服。又從征江夏，還過豫章，別討樂安。樂安平定，代太史慈備海昏，與周瑜爲左右督，破曹公於烏林，又進攻南郡，走曹仁。拜裨將軍，領江夏太守，治沙羡，食四縣。

先出諸將，普最年長，時人皆呼程公。性好施與，喜士大夫。周瑜卒，代領南郡太守。權分荆州與劉備，普復還領江夏，遷蕩寇將軍，卒。權稱尊號，追論普功，封子咨爲亭侯。

黄蓋字公覆，零陵泉陵人也。初爲郡吏，察孝廉，辟公府。孫堅舉義兵，蓋從之。堅南破山賊，北走董卓，拜蓋別部司馬。堅薨，蓋隨策及權，擐甲周旋，蹈刃屠城。

諸山越不賓，有寇難之縣，輒用蓋爲守長。石城縣吏，特難檢御，蓋乃署兩掾，分主諸曹。教曰：『令長不德，徒以武功爲官，不以文吏爲稱。今賊寇未平，有軍旅之務，一以文書委付兩掾，當檢攝諸曹，糾擿謬誤。兩掾所署，事入諾出，若有奸欺，終不加以鞭杖，宜各盡心，無爲衆先。』初皆怖威，夙夜恭職；久之，吏以蓋不視文書，漸容人事。蓋亦嫌外懈怠，時有所省，各得兩掾不奉法數事。乃悉請諸掾吏，賜酒食，因出事詰問。兩掾辭屈，皆叩頭謝罪。蓋曰：『前已相敕，終不以鞭杖相加，非相欺也。』遂殺之。縣中震慄。後轉春穀長，尋陽令。凡守九縣，所在平定。遷丹楊都尉，抑强扶弱，山越懷附。

蓋姿貌嚴毅，善於養衆，每所征討，士卒皆争爲先。建安中，隨周瑜拒曹公於赤壁，建策火攻，語在《瑜傳》。拜武鋒中郎將。武陵蠻夷反亂，攻守城邑，乃以蓋領太守。時郡兵才五百人，自以不敵，因開城門，賊半入，乃擊之，斬首數百，餘皆奔走，盡歸邑落。誅討魁帥，附從者赦之。自春訖夏，寇亂盡平，諸幽邃巴、醴、由、誕邑侯君長，皆改操易節，奉禮請見，郡境遂清。後長沙益陽縣爲山賊所攻，蓋又平討。加偏將軍，病卒于官。

蓋當官決斷，事無留滯，國人思之。及權踐阼，追論其功，賜子柄爵關内侯。

韓當字義公，遼西令支人也。以便弓馬，有膂力，幸於孫堅，從征伐周旋，數犯危難，陷敵擒虜，爲別部司馬。及孫策東渡，從討三郡，遷先登校尉，授兵二千，騎五十匹。從征劉勳，破黄祖，還討鄱

陽，領樂安長，山越畏服。後以中郎將與周瑜等拒破曹公，又與呂蒙襲取南郡，遷偏將軍，領永昌太守。宜都之役，與陸遜、朱然等共攻蜀軍於涿鄉，大破之，徙威烈將軍，封都亭侯。曹真攻南郡，當保東南。在外爲帥，厲將士同心固守，又敬望督司，奉遵法令，權善之。黃武二年，封石城侯，遷昭武將軍，領冠軍太守，後又加都督之號。將敢死及解煩兵萬人，討丹楊賊，破之。會病卒，子綜襲侯領兵。

其年，權征石陽，以綜有憂，使守武昌，而綜淫亂不軌。權雖以父故不問，綜內懷懼，載父喪，將母家屬部曲男女數千人奔魏。魏以爲將軍，封廣陽侯。數犯邊境，殺害人民，權常切齒。東興之役，綜爲前鋒，軍敗身死，諸葛恪斬送其首，以白權廟。

蔣欽字公奕，九江壽春人也。孫策之襲袁術，欽隨從給事。及策東渡，拜別部司馬，授兵。與策周旋，平定三郡，又從定豫章。調授葛陽尉，歷三縣長，討平盜賊，遷西部都尉。會稽冶賊呂合、秦狼等爲亂，欽將兵討擊，遂禽合、狼，五縣平定，徙討越中郎將，以經拘、昭陽爲奉邑。賀齊討黟賊，欽督萬兵，與齊并力，黟賊平定。從征合肥，魏將張遼襲權於津北，欽力戰有功，遷盪寇將軍，領濡須督。後召還都，拜右護軍，典領辭訟。

權嘗入其堂內，母疏帳縹被，妻妾布裙。權嘆其在貴守約，即敕御府爲母作錦被，改易帷帳，妻妾衣服悉皆錦繡。

初，欽屯宣城，嘗討豫章賊。蕪湖令徐盛收欽屯吏，表斬之，權以欽在遠不許，盛由是自嫌於欽。曹公出濡須，欽與呂蒙持諸軍節度。盛常畏欽因事害己，而欽每稱其善。盛既服德，論者美焉。

權討關羽，欽督水軍入沔，還，道病卒。權素服舉哀，以蕪湖民二百户、田二百頃，給欽妻子。子壹封宣城侯，領兵拒劉備有功，還赴南郡，與魏交戰，臨陳卒。壹無子，弟休領兵，後有罪失業。

周泰字幼平，九江下蔡人也。與蔣欽隨孫策爲左右，服事恭敬，數戰有功。策入會稽，署別部司馬，授兵。權愛其爲人，請以自給。策討六縣山賊，權住宣城，使士自衛，不能千人，意尚忽略，不治圍落，而山賊數千人卒至。權始得上馬，而賊鋒刃已交於左右，或斫中馬鞍，衆莫能自定。惟泰奮激，投身衛權，膽氣倍人，左右由泰並能就戰。賊既解散，身被十二創，良久乃蘇。是日無泰，權幾危殆。策深德之，補春穀長。後從攻皖，及討江夏，還過豫章，復補宜春長，所在皆食其征賦。從討黃祖有功。後與周瑜、程普拒曹公於赤壁，攻曹仁於南郡。荆州平定，將兵屯岑。曹公出濡須，泰復赴擊，曹公退，留督濡須，拜平虜將軍。時朱然、徐盛等皆在所部，並不伏也，權特爲案行至濡須塢，因會諸將，大爲酣樂。權自行酒到泰前，命泰解衣，權手自指其創痕，問以所起。泰輒記昔戰鬬處以對，畢，使復服，歡讌極夜。其明日，遣使者授以御蓋。於是盛等乃伏。

後權破關羽，欲進圖蜀，拜泰漢中太守、奮威將軍，封陵陽侯。黃武中卒。子邵以騎都尉領兵。曹仁出濡須，戰有功，又從攻破曹休，進位裨將軍，黃龍二年卒。弟承領兵襲侯。

陳武字子烈，廬江松滋人。孫策在壽春，武往脩謁，時年十八，長七尺七寸，因從渡江，征討有功，拜別部司馬。策破劉勳，多得廬江人，料其精銳，乃以武爲督，所向無前。及權統事，轉督五校。

仁厚好施，鄉里遠方客多依托之。尤爲權所親愛，數至其家。累有功勞，進位偏將軍。建安二十年，從擊合肥，奮命戰死。權哀之，自臨其葬。

子脩有武風，年十九，權召見獎厲，拜別部司馬，授兵五百人。時諸新兵多有逃叛，而脩撫循得意，不失一人。權奇之，拜爲校尉。建安末，追録功臣後，封脩都亭侯，爲解煩督。黄龍元年卒。

弟表，字文奥，武庶子也，少知名，與諸葛恪、顧譚、張休等並侍東宫，皆共親友。尚書曁豔亦與表善，後豔遇罪，時人咸自營護，信厚言薄，表獨不然，士以此重之。從太子中庶子，拜翼正都尉。兄脩亡後，表母不肯事脩母，表謂其母曰：『兄不幸早亡，表統家事，當奉嫡母。母若能爲表屈情，承順嫡母者，是至願也；若母不能，直當出別居耳。』表於大義公正如此。由是二母感寤雍穆。表以父死敵場，求用爲將，領兵五百人。表欲得戰士之力，傾意接待，士皆愛附，樂爲用命。時有盜官物者，疑無難士施明。明素壯悍，收考極毒，惟死無辭，廷尉以聞。權以表能得健兒之心，詔以明付表，使自以意求其情實。表便破械沐浴，易其衣服，厚設酒食，歡以誘之。明乃首服，具列支黨。表以狀聞。權奇之，欲全其名，特爲赦明，誅戮其黨。遷表爲無難右部督，封都亭侯，以繼舊爵。表皆陳讓，乞以傳脩子延，權不許。嘉禾三年，諸葛恪領丹楊太守，討平山越，以表領新安都尉，與恪參勢。初，表所受賜復人得二百家，在會稽新安縣。表簡視其人，皆堪好兵，乃上疏陳讓，乞以還官，充足精鋭。詔曰：『先將軍有功於國，國家以此報之，卿何得辭焉？』表乃稱曰：『今除國賊，報父之仇，以人爲本。空枉此勁鋭以爲僮僕，非表志也。』皆輒料取以充部伍。所在以聞，權甚嘉之。下郡縣，料正户羸民以補其處。表在官三年，廣開降納，得兵萬餘人。事捷當出，會鄱陽民吴遽等爲亂，攻没城郭，屬縣摇動，表便越界赴討，遽以破敗，遂降。陸遜拜表偏將軍，進封都鄉侯，北屯章阬。年三十四卒。家財盡於養士，死之日，妻子露立，太子登爲起屋宅。子敖年十七，拜別部司馬，授兵四百人。敖卒，脩子延復爲司馬代敖。延弟永，將軍，封侯。始施明感表，自變行爲善，遂成健將，致位將軍。

董襲字元世，會稽餘姚人，長八尺，武力過人。孫策入郡，襲迎於高遷亭，策見而偉之，到署門下賊曹。時山陰宿賊黄龍羅、周勃聚黨數千人，策自出討，襲身斬羅、勃首，還拜別部司馬，授兵數千，遷揚武都尉。從策攻皖，又討劉勳於尋陽，伐黄祖於江夏。

策薨，權年少，初統事，太妃憂之，引見張昭及襲等，問江東可保安否，襲對曰：『江東地勢，有山川之固，而討逆明府，恩德在民。討虜承基，大小用命，張昭秉衆事，襲等爲爪牙，此地利人和之時也，萬無所憂。』衆皆壯其言。

鄱陽賊彭虎等衆數萬人，襲與淩統、步騭、蔣欽各別分討。襲所向輒破，虎等望見旌旗，便散走，旬日盡平，拜威越校尉，遷偏將軍。

建安十三年，權討黄祖。祖横兩蒙衝挾守沔口，以栟閭大紲繫石爲碇，上有千人，以弩交射，飛矢雨下，軍不得前。襲與淩統俱爲前部，各將敢死百人，人被兩鎧，乘大舸船，突入蒙衝裏。襲身以刀斷兩紲，蒙衝乃横流，大兵遂進。祖便開門走，兵追斬之。明日大會，權舉觴屬襲曰：『今日之會，斷紲之功也。』

曹公出濡須，襲從權赴之，使襲督五樓船住濡須口。夜卒暴風，五樓船傾覆，左右散走舸，乞使襲出。襲怒曰：『受將軍任，在此備賊，何等委去也，敢復言此者斬！』於是莫敢干。其夜船敗，襲死。權改服臨殯，供給甚厚。

甘寧字興霸，巴郡臨江人也。少有氣力，好游俠，招合輕薄少年，爲之渠帥；群聚相隨，挾持弓弩，負毦帶鈴，民聞鈴聲，即知是寧。人與相逢，及屬城長吏，接待隆厚者乃與交歡；不爾，即放所將奪其資貨，於長吏界中有所賊害，作其廢負，至二十餘年。止不攻劫，頗讀諸子，乃往依劉表，因居南陽，不見進用，後轉托黃祖，祖又以凡人畜之。

於是歸吳。周瑜、呂蒙皆共薦達，孫權加異，同於舊臣。寧陳計曰：『今漢祚日微，曹操彌憍，終爲篡盜。南荆之地，山陵形便，江川流通，誠是國之西勢也。寧已觀劉表，慮既不遠，兒子又劣，非能承業傳基者也。至尊當早規之，不可後操。圖之之計，宜先取黃祖。祖今年老，昏耄已甚，財穀並乏，左右欺弄，務於貨利，侵求吏士，吏士心怨，舟船戰具，頓廢不脩，怠於耕農，軍無法伍。至尊今往，其破可必。一破祖軍，鼓行而西，西據楚關，大勢彌廣，即可漸規巴蜀。』權深納之。張昭時在坐，難曰：『吳下業業，若軍果行，恐必致亂。』寧謂昭曰：『國家以蕭何之任付君，君居守而憂亂，奚以希慕古人乎？』權舉酒屬寧曰：『興霸，今年行討，如此酒矣，決以付卿。卿但當勉建方略，令必克祖，則卿之功，何嫌張長史之言乎。』權遂西，果禽祖，盡獲其士衆。遂授寧兵，屯當口。

後隨周瑜拒破曹公於烏林。攻曹仁於南郡，未拔，寧建計先徑進取夷陵，往即得其城，因入守之。時手下有數百兵，并所新得，僅滿千人。曹仁乃令五六千人圍寧。寧受攻累日，敵設高樓，雨射城中，士衆皆懼，惟寧談笑自若。遣使報瑜，瑜用呂蒙計，帥諸將解圍。後隨魯肅鎮益陽，拒關羽。羽號有三萬人，自擇選鋭士五千人，投縣上流十餘里淺瀨，云欲夜涉渡。肅與諸將議。寧時有三百兵，乃曰：『可復以五百人益吾，吾往對之，保羽聞吾咳唾，不敢涉水，涉水即是吾禽。』肅便選千兵益寧，寧乃夜往。羽聞之，住不渡，而結柴營，今遂名此處爲關羽瀨。權嘉寧功，拜西陵太守，領陽新、下雉兩縣。

後從攻皖，爲升城督。寧手持練，身緣城，爲吏士先，卒破獲朱光。計功，呂蒙爲最。寧次之，拜折衝將軍。

後曹公出濡須，寧爲前部督，受敕出斫敵前營。權特賜米酒衆殽，寧乃料賜手下百餘人食。食畢，寧先以銀碗酌酒，自飲兩碗，乃酌與其都督。都督伏，不肯時持。寧引白削置膝上，呵謂之曰：『卿見知於至尊，孰與甘寧？甘寧尚不惜死，卿何以獨惜死乎？』都督見寧色厲，即起拜持酒，次通酌兵各一銀碗。至二更時，銜枚出斫敵。敵驚動，遂退。寧益貴重，增兵二千人。

寧雖粗猛好殺，然開爽有計略，輕財敬士，能厚養健兒，健兒亦樂爲用命。建安二十年，從攻合肥，會疫疾，軍旅皆已引出，唯車下虎士千餘人，并呂蒙、蔣欽、凌統及寧，從權逍遥津北。張遼覘望知之，即將步騎奄至。寧引弓射敵，與統等死戰。寧厲聲問鼓吹何以不作，壯氣毅然，權尤嘉之。

寧廚下兒曾有過，走投呂蒙。蒙恐寧殺之，故不即還。後寧齎禮禮蒙母，臨當與升堂，乃出廚下

兒還寧。寧許蒙不殺。斯須還船，縛置桑樹，自挽弓射殺之。畢，敕船人更增舸纜，解衣卧船中。蒙大怒，擊鼓會兵，欲就船攻寧。寧聞之，故卧不起。蒙母徒跣出諫蒙曰：『至尊待汝如骨肉，屬汝以大事，何有以私怒而欲攻殺甘寧？寧死之日，縱至尊不問，汝是爲臣下非法。』蒙素至孝，聞母言，即豁然意釋，自至寧船，笑呼之曰：『興霸，老母待卿食，急上！』寧涕泣歔欷曰：『負卿。』與蒙俱還見母，歡宴竟日。

寧卒，權痛惜之。子瓌，以罪徙會稽，無幾死。

淩統字公績，吴郡餘杭人也。父操，輕俠有膽氣，孫策初興，每從征伐，常冠軍履鋒。守永平長，平治山越，奸猾斂手，遷破賊校尉。及權統事，從討江夏。入夏口，先登，破其前鋒，輕舟獨進，中流矢死。

統年十五，左右多稱述者，權亦以操死國事，拜統別部司馬，行破賊都尉，使攝父兵。後從擊山賊，權破保屯先還，餘麻屯萬人，統與督張異等留攻圍之，克日當攻。先期，統與督陳勤會飲酒，勤剛勇任氣，因督祭酒，陵轢一坐，舉罰不以其道。統疾其侮慢，面折不爲用。勤怒詈統，及其父操，統流涕不答，衆因罷出。勤乘酒凶悖，又於道路辱統。統不忍，引刀斫勤，數日乃死。及當攻屯，統曰：『非死無以謝罪。』乃率厲士卒，身當矢石，所攻一面，應時披壞，諸將乘勝，遂大破之。還，自拘於軍正。權壯其果毅，使得以功贖罪。

後權復征江夏，統爲前鋒，與所厚健兒數十人共乘一船，常去大兵數十里。行入右江，斬黄祖將張碩，盡獲船人。還以白權，引軍兼道，水陸並集。時呂蒙敗其水軍，而統先搏其城，於是大獲。權以統爲承烈都尉，與周瑜等拒破曹公於烏林，遂攻曹仁，遷爲校尉。雖在軍旅，親賢接士，輕財重義，有國士之風。

又從破皖，拜蕩寇中郎將，領沛相。與呂蒙等西取三郡，反自益陽，從征合肥，爲右部督。時權徹軍，前部已發，魏將張遼等奄至津北。權使追還前兵，兵去已遠，勢不相及，統率親近三百人陷圍，扶扞權出。敵已毁橋，橋之屬者兩版，權策馬驅馳，統復還戰，左右盡死，身亦被創，所殺數十人，度權已免，乃還。橋敗路絶，統被甲潛行。權既御船，見之驚喜。統痛親近無反者，悲不自勝。權引袂拭之，謂曰：『公績，亡者已矣，苟使卿在，何患無人？』拜偏將軍，倍給本兵。

時有薦同郡盛暹於權者，以爲梗概大節，有過於統，權曰：『且令如統足矣。』後召暹夜至，時統已卧，聞之，攝衣出門，執其手以入。其愛善不害如此。

統以山中人尚多壯悍，可以威恩誘也，權令東占且討之，命敕屬城，凡統所求，皆先給後聞。統素愛士，士亦慕焉。得精兵萬餘人，過本縣，步入寺門，見長吏懷三版，恭敬盡禮，親舊故人，恩意益隆。事畢當出，會病卒，時年二十九。權聞之，拊床起坐，哀不能自止，數日減膳，言及流涕，使張承爲作銘誄。

二子烈、封，年各數歲，權内養於宫，愛待與諸子同，賓客進見，呼示之曰：『此吾虎子也。』及八九歲，令葛光教之讀書，十日一令乘馬，追録統功，封烈亭侯，還其故兵。後烈有罪免，封復襲爵

領兵。

徐盛字文嚮，琅邪莒人也。遭亂，客居吴，以爲別部司馬，授兵五百人，守柴桑長，拒黄祖。祖子射，嘗率數千人下攻盛。盛時吏士不滿二百，與相拒擊，傷射吏士千餘人。已乃開門出戰，大破之。射遂絶迹不復爲寇。權以爲校尉、蕪湖令。復討臨城南阿山賊有功，徙中郎將，督校兵。

曹公出濡須，從權禦之。魏嘗大出横江，盛與諸將俱赴討。時乘蒙衝，遇迅風，船落敵岸下，諸將恐懼，未有出者，盛獨將兵，上突斫敵，敵披退走，有所傷殺，風止便還，權大壯之。

及權爲魏稱藩，魏使邢貞拜權爲吴王。權出都亭候貞，貞有驕色，張昭既怒，而盛忿憤，顧謂同列曰：『盛等不能奮身出命，爲國家并許洛，吞巴蜀，而令吾君與貞盟，不亦辱乎！』因涕泣横流。貞聞之，謂其旅曰：『江東將相如此，非久下人者也。』

後遷建武將軍，封都亭侯，領廬江太守，賜臨城縣爲奉邑。劉備次西陵，盛攻取諸屯，所向有功。曹休出洞口，盛與吕範、全琮渡江拒守。遭大風，船人多喪，盛收餘兵，與休夾江。休使兵將就船攻盛，盛以少禦多，敵不能克，各引軍退。遷安東將軍，封蕪湖侯。

後魏文帝大出，有渡江之志，盛建計從建業築圍，作薄落，圍上設假樓，江中浮船。諸將以爲無益，盛不聽，固立之。文帝到廣陵，望圍愕然，彌漫數百里，而江水盛長，便引軍退。諸將乃伏。

黄武中卒。子楷，襲爵領兵。

潘璋字文珪，東郡發干人也。孫權爲陽羨長，始往隨權。性博蕩嗜酒，居貧，好賒酤，債家至門，輒言後豪富相還。權奇愛之，因使召募，得百餘人，遂以爲將。討山賊有功，署別部司馬。後爲吴大市刺奸，盜賊斷絶，由是知名，遷豫章西安長。劉表在荆州，民數被寇，自璋在事，寇不入境。比縣建昌起爲賊亂，轉領建昌，加武猛校尉，討治惡民，旬月盡平，召合遺散，得八百人，將還建業。

合肥之役，張遼奄至，諸將不備，陳武鬭死，宋謙、徐盛皆披走，璋身次在後，便馳進，横馬斬謙、盛兵走者二人，兵皆還戰。權甚壯之，拜偏將軍，遂領百校，屯半州。

權征關羽，璋與朱然斷羽走道，到臨沮，住夾石。璋部下司馬馬忠禽羽，并羽子平、都督趙累等。權即分宜都巫、秭歸二縣爲固陵郡，拜璋爲太守、振威將軍，封溧陽侯。甘寧卒，又并其軍。劉備出夷陵，璋與陸遜并力拒之，璋部下斬備護軍馮習等，所殺傷甚衆，拜平北將軍、襄陽太守。

魏將夏侯尚等圍南郡，分前部三萬人作浮橋，渡百里洲上，諸葛瑾、楊粲並會兵赴救，未知所出，而魏兵日渡不絶。璋曰：『魏勢始盛，江水又淺，未可與戰。』便將所領，到魏上流五十里，伐葦數百萬束，縛作大筏，欲順流放火，燒敗浮橋。作筏適畢，伺水長當下，尚便引退。璋下備陸口。權稱尊號，拜右將軍。

璋爲人粗猛，禁令肅然，好立功夫，所領兵馬不過數千，而其所在常如萬人。征伐止頓，便立軍市，他軍所無，皆仰取足。然性奢泰，末年彌甚，服物僭擬。吏兵富者，或殺取其財物，數不奉法。監司舉奏，權惜其功而輒原不問。嘉禾三年卒。子平，以無行徙會稽。璋妻居建業，賜田宅，復客五十